G000019305

LES CHIENS DE DÉTROIT

Jérôme Loubry est né en 1976. Il a d'abord travaillé à l'étranger et voyagé tout en écrivant des nouvelles. *Les Chiens de Détroit* est son premier roman.

JÉRÔME LOUBRY

Les Chiens de Détroit

CALMANN-LÉVY

ISBN : 978-2-253-23720-4 – 1re publication LGF

Pour Loan

STAN

« Il était une fois, dans un village reculé, une créature qu'on appelait le Géant de brume… »

Contes et légendes du Moyen Âge.
Auteur inconnu.

1

Dimanche 17 mars 2013

La voiture de police n° 18 quitta le parking souter-
rain du central et se jeta avec détermination dans les
rues de Détroit. Une pluie agressive l'y accueillit. Elle
la fouetta de ses larmes, adjurant ses deux passagers
de ne pas s'enfoncer davantage dans l'horreur, leur
murmurant de retourner vers le confort ouaté d'une
vie qui pourtant n'existait plus.

Sarah Berkhamp observait la ville par la vitre. La
lumière humide et déclinante de cette fin de journée
déposait sa couverture sombre alors que des feux follets apparaissaient timidement à l'intérieur des habitations.

À sa gauche, Stan, son partenaire, poussait des
jurons à chaque ralentissement du trafic.

Le temps pressait.

Une semaine d'enquête.

Des nuits à traquer l'ombre d'un géant sans jamais
la frôler.

Et surtout, oui, surtout, se dit Sarah en repensant

aux regards implorants des familles, *des vies dispa-rues sans laisser aucune trace.*

Elle fixa à travers le voile pluvieux les contours instables d'Eastpointe, la banlieue dans laquelle elle avait grandi. À cette époque, ces maisons n'étaient pas encore abandonnées, leurs ouvertures condamnées par des tôles métalliques. On pouvait deviner derrière les façades des vies heureuses et accomplies. Détroit était radieuse. Le voisinage rayonnait de promesses et de futurs sans ombre. Puis tous devinrent ces feux follets instables et précaires. Ses amis. Ses voisins. Ses connaissances. Ces visages que l'on croise et que l'on ne remarque pas, jusqu'au jour où ils disparaissent et où leur absence nous explose à la mémoire.

La déréliction générale n'avait pas épargné cette partie de la ville, d'ailleurs il n'y avait aucune raison pour cela, Sarah le savait très bien. Seulement elle regrettait que les rues de son enfance ressemblent tant à un cimetière : silencieuses, aux maisons droites et sans vie.

Telles des stèles destinées aux géants.

Le véhicule roula encore une dizaine de minutes puis, au croisement de Ryan Road, le conducteur d'une voiture pie leur fit signe de s'arrêter. Sarah sortit en oubliant la pluie. Elle resserra la sangle du gilet pare-balles qui lui comprima un peu plus la poitrine, vérifia le chargement de son Glock et interrogea l'officier en faction :

— Des signes de présence ?

— Oui, inspecteur, affirma le jeune officier dont la parka ruisselait de les avoir attendus. Une silhouette dans le salon. Assise dans un fauteuil, immobile depuis vingt minutes. Les tireurs d'élite ont un visuel et ont confirmé l'identité.

— Je vais entrer. Vous venez avec moi, ordonna-t-elle à Stan qui se tenait à ses côtés et se balançait d'une jambe sur l'autre, pressé d'en découdre. Le reste de la troupe attend que nous soyons tous les deux à l'intérieur pour agir, ajouta-t-elle. Pas de conneries. On le veut vivant, sinon nous n'aurons aucune chance de retrouver les enfants.

L'officier crachota les directives dans son talkie et vérifia à son tour le chargement de son arme.

Au bout de la rue, une meute de chiens errants le fixait sans bouger. Malgré les trombes d'eau qui ne faiblissaient guère, ils demeuraient immobiles, comme dans l'attente d'un événement qui aurait justifié leur présence, ici, sous ce déluge éternel. Leurs carcasses faméliques émirent un dernier tremblement avant de disparaître au loin, les poils collés contre leurs côtes saillantes.

Ces animaux aussi devaient appartenir à quelqu'un avant, pensa-t-il avant de se retourner et de se concentrer sur l'autre côté de la rue, en direction des deux silhouettes évanouies.

Sarah et Stan se faufilèrent derrière les pavillons en bois désertés. Ils se courbèrent sous la violence de la pluie qui semblait leur dire à présent de se hâter. Ils sautèrent par-dessus une haie grillagée, piétinèrent la boue d'un second jardin où de vieux jouets à demi ensevelis fixaient les nuages, puis dépassèrent un tireur du SWAT accroupi, en joue, un genou dans la terre humide.

C'est ici, siffla le vent glacé aux oreilles de Sarah.

Trempés, ils approchèrent en silence et se glissèrent le long de la façade pour atteindre la véranda de Simon Duggan. Les bruits d'une télévision en marche leur parvinrent. Ils jetèrent un dernier coup d'œil vers l'équipe de soutien.

Stan se déplaça de l'autre côté du chambranle et recula d'un pas pour enfoncer la frêle porte en bois.

Il n'y aurait ni sommation ni avertissement.

Le capitaine avait été bien clair : « Vivant. » Il n'avait pas précisé dans quel état. Et, tel que Sarah le connaissait, cela signifiait que les premiers arrivés pouvaient lui faire passer un sale quart d'heure sans craindre une convocation pour « excès de zèle ».

« Chopez cet enculé de Géant de brume et faites-lui dire où sont les enfants. »

Stan prit son élan et lança son épaule contre la porte qui émit un craquement d'os brisé. Sarah se rua dans son sillage, Glock en avant, et hurla à l'occupant de ne pas bouger. Dehors, la pluie en colère dardait ses épines glaciales sur la dizaine d'hommes armés qui se précipitèrent à leur tour dans l'antre du Géant.

L'homme resta assis dans son fauteuil, sans aucune réaction de surprise ni de défi. Ses mains se levèrent puis s'immobilisèrent alors que déjà les policiers se faufilaient à travers chaque pièce de la maison. La jeune femme attendit qu'on lui passe les menottes avant d'abaisser son semi-automatique. Une chaleur

14

étouffante et une odeur de renfermé régnaient dans le salon. Sur le sol, un amoncellement de cartons de pizza, de canettes de soda, et à la télévision une émission destinée aux enfants.

Sarah ressentit un certain malaise. Elle entendait ses partenaires lancer depuis les profondeurs de la bâtisse ce qu'elle avait redouté le plus : « RAS, rien à signaler. » Ni corps, morts ou vivants, ni indices concluants. Une prochaine fouille menée par l'équipe scientifique apporterait sans doute de quoi étoffer un peu plus le chef d'inculpation, mais pour l'instant *rien*.

Pas d'enfants.

« Où sont-ils ? »

Simon Duggan leva le regard du sol, fixa Sarah et lui sourit légèrement. Son visage tout en rondeur aurait pu inspirer de la bienveillance, mais son corps d'adulte massif intimait de rester sur ses gardes. Aussi l'inspectrice se tint-elle à distance, suffisamment proche cependant pour entendre ce que le Géant lui murmura, alors que des larmes coulaient de ses yeux maintenant mi-clos : « Aidez-moi. Vous êtes ma rédemption. »

Elle fut sur le point de lui faire répéter ces mots lorsqu'un raclement de gorge détourna son attention. Quand elle vit Stan, immobile sur le seuil de la pièce, Sarah comprit. Son coéquipier attendait ce jour depuis tant d'années. Il avait été le premier à se confronter aux corps que le Géant de brume dispersait dans les rues. Lui aussi avait beaucoup perdu. Il méritait, tout comme les parents des victimes, sa vengeance. Elle lança un dernier regard vers l'homme aux paroles énigmatiques puis quitta le salon pour se retirer sous l'humidité et la fraîcheur du porche.

Une brume odorante s'échappait de la terre inondée, péniblement, comme lestée par les malheurs environnants. Sarah accepta une cigarette proposée par un membre du SWAT et fuma en observant le voisinage. Elle s'aperçut que cette maison était la seule occupée dans la rue. Tout autour n'était que pelouses en friche, peintures écaillées et balançoires rouillées. La fin de son monde n'aurait pu avoir meilleur décor.

Lorsque l'écho des coups se tarit, Sarah souffla sa nicotine vers le ciel en répondant d'un murmure aux paroles du Géant de brume : « Il n'y a plus de rédemption possible dans cette ville, pour personne. » Puis elle jeta son mégot et retourna chercher les enfants.

« Oui, affirmerait-elle plus tard face aux membres du comité d'enquête et d'éthique de la police de Détroit, à bien y réfléchir, c'est à ce moment précis que tout a véritablement merdé. »

2

Dimanche 15 novembre 1998

Le premier corps fut retrouvé par un joggeur aux abords de Palmer Park.

C'était un dimanche matin, une pluie fine et inconstante s'échappait des nuages anémiques. Détroit se réveillait à peine. Elle le serait entièrement dans quelques heures, lorsque le cri d'une mère reconnaissant le cadavre de son enfant résonnerait au plus profond de ses entrailles.

Quand Stan arriva sur les lieux, la scène avait déjà été sécurisée et entourée de bandes jaunes tenant les curieux à distance. Il avait reçu l'appel du central quelques minutes plus tôt. Ses vêtements sentaient encore la nuit imparfaite, des effluves d'alcool et de déperdition suintaient de chacun de ses pores.

Le légiste, recouvert de sa combinaison blanche réglementaire, penché au-dessus du corps, l'étudiait avec application. *Un charognard survolant une carcasse*, pensa Stan en s'approchant. Franck l'aperçut, remit ses lunettes en place en ignorant les gouttelettes qui glissaient le long des verres et se dirigea vers l'inspecteur pour le saluer. Ses cheveux mi-longs et grisonnants collés aux tempes lui donnaient l'air d'un calmar fraîchement sorti de l'eau.

Franck Burt non plus n'était pas un pur Détroitien. Il connaissait le *sentiment*.

— Plutôt matinal, Stan, remarqua le scientifique.

— Je sais. Qu'est-ce qu'on a ? demanda Stan en enfilant une paire de gants en latex.

— Un môme, tiens, viens voir.

Les deux hommes se rapprochèrent de la victime abritée par une bâche que les policiers avaient dressée à la hâte, afin que les intempéries n'endommagent pas un peu plus les preuves potentielles. Malgré cela, de l'eau s'écoulait le long du chemin. La pluie ruisselait dans de fines tranchées boueuses et évitait le cadavre en sinuant tel un serpent effrayé.

L'enfant gisait comme un détritus jeté sur la terre humide. Il était noir, comme quatre-vingts pour cent des habitants de cette ville. Les paupières closes, le visage tourné vers le ciel, le chérubin d'ébène portait toujours les habits que sa mère lui avait mis la veille.

« A priori aucune violence sexuelle », indiqua Franck Burt.

La mort semblait due aux marques épaisses et violacées encerclant le cou de la victime. Stan écouta le médecin décrire les divers détails d'une oreille sourde. C'était la première fois qu'il intervenait sur un meurtre d'enfant. Son esprit fuyait déjà la scène de crime. Il ressentit l'envie de téléphoner à son ex-femme, là-bas à Washington, et de parler à son fils pour s'assurer qu'il allait bien.

— Il faudra que je vérifie l'ensemble du corps, mais il semble ne pas y avoir eu de lutte.

— Une idée de l'heure du décès ? demanda l'inspecteur en se détournant du gosse.

— La première prise de température indique les environs de 4 heures du matin. Je serai plus formel une fois le cadavre nettoyé. De plus, l'intestin et la vessie se sont vidés, comme très souvent lors d'une mort par strangulation. Il me faudra donc un peu de temps pour analyser les selles. Il est encore trop tôt pour donner des conclusions définitives.

— Ouais Franck, trop tôt pour toi et trop tard pour lui, soupira Stan en observant la scène de crime.

L'endroit où avait été jeté le corps était discret : un renfoncement végétal à l'écart des grandes allées du parc, mais suffisamment proche d'un parcours de running pour qu'un coureur l'aperçoive. *Il* voulait qu'on le retrouve.

— Le problème, c'est que les assassins que nous poursuivons ont toujours de l'avance sur nous. Alors nous nous contentons de ramasser les restes.

— Et à Détroit plus qu'ailleurs ! reprit Franck avec un sourire en coin.

Après tout, les cadavres des rues de Motown[1] lui garantissaient son emploi à vie.

— Cette ville est malade. Envoie-moi les conclusions une fois l'autopsie réalisée.

Une troupe de badauds s'était constituée à quelques mètres, silencieuse. En quittant les lieux, Stan les observa

---

1. Un des nombreux surnoms donnés à Détroit, contraction de Motor Town.

assouvir leur curiosité carnassière malgré la pluie et le froid. Cette opiniâtreté lui sembla déplacée, mais compréhensible : Détroit offrait tellement de violence que ne pas la contempler aurait été un manque de respect à cette générosité. Et puis un homicide ici, c'était plutôt rare. L'endroit ne souffrait d'aucune mauvaise réputation. Coincé entre deux parcours de golf et utilisé dans sa partie sud par l'académie de police, Palmer Park n'était pas considéré comme un coupe-gorge, mais comme un parc familial sans danger. Jusqu'à ce matin.

L'inspecteur dépassa les voyeurs, se courba sous l'attaque de la pluie et se mit à l'abri dans sa voiture. Son cerveau bouillonnait de questionnements dont les réponses n'arriveraient que plus tard dans la journée, avec le rapport médical. Le corps gisait ici, dans sa juridiction, le douzième district, non loin du central. L'affaire lui revenait d'office. « Drôle de manière de terminer la semaine », soupira-t-il. Il alluma le contact, sortit du parking où il croisa l'ambulance qui emmènerait l'enfant au service médico-légal de la ville.

Stan Mitchell.

Molosse. C'était le surnom qu'on lui avait attribué à son arrivée. Surnom hérité de sa corpulence trapue et puissante ainsi que de sa réputation de ne jamais rien lâcher, tel un chien avec son os. Stan rentra directement au central. Les rues étaient encore calmes à cette heure-ci, il ne lui fallut que quelques minutes pour atteindre sa destination sans avoir à abuser de la sirène pour se frayer un chemin. Le soleil perçait à peine à travers la pluie diluvienne. La ville se teintait d'un gris métallique et déprimant qu'elle devrait arborer durant plusieurs jours, selon la météo. Détroit n'avait pas été un choix pour Stan, mais une obligation : une mutation imposée par une restructuration de la police de Washington. C'était la raison officielle. « On a besoin de toi là-bas, lui avait-on dit, ici tout le monde te connaît, ça ne sera pas facile de continuer… »

Alors il avait migré jusqu'à Motor City en laissant derrière lui ses affaires et l'espoir de revenir bientôt : c'était il y a trois ans. Sa femme lui avait annoncé son désir de divorcer une semaine après son départ. L'avait-il deviné ? Avait-il ressenti les prémices de la séparation ? En tout cas, il ne fut pas plus surpris que cela de recevoir les papiers du divorce. Et puis lui notifier cela en face, elle n'aurait pas pu, pas après ce qui s'était passé…

Depuis, Détroit représentait tout ce qui lui restait.

Elle et son fils. Qu'il ne voyait que pendant les vacances.

La raison de cette décision était simple et écrite en caractères gras sur des documents officiels : *droit de visite restrictif ordonné par la justice.*

Ordonnance motivée par son alcoolisme.

Ordonnance motivée par sa violence répétée dans l'exercice de ses fonctions de policier.

Ordonnance motivée par sa violence regrettée dans l'exercice de sa fonction de mari, lorsque, las et saoulé de tous les cadavres ramassés, il s'était trouvé à bout.

Ce n'est arrivé qu'une seule fois, monsieur le juge.

Mon fils ? Jamais. Jamais une main levée. Il est tout ce que j'ai.

Ordonnance insensible à l'amour paternel et paraphée par le juge : *droit de garde UNIQUEMENT durant les vacances*.

La suite ? Classique : Stan s'était plongé dans son travail un peu plus, dans la dope un peu plus, dans l'alcool un peu plus, dans le souvenir de son ancienne vie beaucoup moins.

Il avait sillonné Détroit *hors service* pour essayer de la comprendre. Sa voiture avait erré au milieu de nulle part, Mexican Town, Pilgrim Village, Lafayette Park… Il avait observé la ville tandis qu'elle changeait. Il s'était étonné de la présence de plus en plus marquée de camions de déménagement. Il avait vu la population noire délaisser les quartiers éloignés et venir habiter les *boroughs* autrefois majoritairement occupés par les Blancs.

Détroit était en pleine mutation : les projets de casinos fleurissaient dans l'esprit des politiciens tandis que les usines de voitures congédiaient à tour de bras, *merci-au-revoir*…

Durant ces rondes, il avait croisé des regards méfiants, des regards haineux. Des yeux aux veinules rougies par la drogue. Des costumes-cravates qui l'avaient ignoré totalement et dont les bouches débordantes du sang des licenciés lui avaient murmuré « *circulez-il-n'y-a-rien-à-voir* »…

Trois années s'étaient écoulées. Stan s'était ressaisi. Stan avait replongé puis s'était ressaisi de nouveau… principalement avant les vacances et la venue de son fils.

« Un enfant. Bordel de merde ! » pesta-t-il en pénétrant dans son bureau. Il sentit un goût nauséeux remonter le long de sa trachée, le chassa à l'aide d'une pastille à la menthe.

La mère de la victime avait signalé son absence la veille vers 17 heures, lorsqu'elle ne l'avait pas vu rentrer alors que la lumière du jour déclinait. Le temps que le signalement soit enregistré, étudié et finalement distribué à toutes les patrouilles, la vieille horloge de l'église Sainte-Anne annonçait 21 heures. Demain, les journaux en feraient leurs choux gras, critiquant la lenteur de la police, elle-même se défendant en fustigeant le manque de moyens et de personnel ainsi que le budget revu à la baisse d'année en année... la mairie, enfin, qui plaiderait la paupérisation de ses services engendrée par ses prédécesseurs.

Le premier réflexe de Stan avait été d'envoyer une équipe saisir les vidéos des caméras de sécurité des clubs de golf et magasins alentour. Le Palmer Park Golf Courses et le Detroit Golf Club possédaient des appareils de surveillance susceptibles d'avoir enregistré des éléments importants. Il faudrait également sonder les vidéos des différents restaurants et stations-service de Woodward Avenue et de Seven Mile Road, les deux artères les plus fréquentées autour du parc. Ensuite, un entretien avec les parents serait nécessaire avant que le chagrin ne dévore entièrement la mémoire. Il enverrait Betty s'en charger : Noire, mère de famille, native de Détroit, trois points communs qui mettraient en confiance les proches de la victime.

Pendant que l'équipe interrogeait les coureurs du matin et visionnait les caméras du parc, Stan se rendit à la salle de gym de la police pour soulever un peu de fonte. Il s'astreignait à cette pratique tous les jours, en arrivant plus tôt au central. Ce matin, l'appel radio l'avait surpris sur le trajet et détourné de sa destination, mais les toxines accumulées dans la nuit et la vision macabre de ce gamin étendu sur la terre mouillée exigeaient à présent leur exutoire. Il se changea dans le vestiaire, se glissa dans un tee-shirt de la DPD[1], enfila un short puis pénétra dans la pièce. Il n'y avait personne à part une jeune femme qu'il ne connaissait pas. À cette heure-ci, la plupart de ses collègues tapaient les rapports de la nuit ou entamaient leur première ronde. Aussi fut-il surpris de ne pas se retrouver seul.

Sans doute une jeune promue, tout juste sortie de l'école de police.

Il l'observa tandis qu'elle s'acharnait sur les appareils de musculation : d'une taille avoisinant le mètre quatre-vingts, les cheveux bruns, mi-longs, rassemblés en une courte queue-de-cheval, l'inconnue luttait contre les poids avec une pugnacité impressionnante. Il lui sembla voir ses lèvres bouger. Elle devait se parler à elle-même, se motiver pendant l'effort, se répéter que tout bon flic doit apprendre à dépasser ses limites.

Stan se sentit soudain vieux et fatigué.

Les enfants ne meurent pas ainsi dans cette ville, réfléchit-il alors qu'il attaquait une série de tractions à 70 kilos. *Quel âge avait-il ? Huit ans, neuf ? Généra-*

---

1. Detroit Police Department.

lement, dans cette tranche d'âge, ce sont des victimes de balles perdues ou de règlement de comptes entre gangs. Le crime sexuel ne correspond pas non plus puisqu'il portait encore ses habits. Ou alors a-t-il été rhabillé ?

L'inspecteur continua ses exercices en tentant de trouver une réponse. Pour une raison inexplicable, il avait été troublé plus que la normale par la vue de ce garçon abandonné dans le parc. Était-ce parce que l'enfant avait peu ou prou le même âge que son fils ? N'arrivait-il pas à rejeter son absence et la souffrance assez loin pour qu'elles resurgissent ainsi, personnifiées par cette jeune victime ? Le cadavre de ce gamin ne lui criait-il pas au visage son incapacité à protéger son fils, là-bas, à Washington ?

Tais-toi.

Ne pas trop s'impliquer dans une affaire était une consigne majeure dans le métier de policier. Faire le vide, garder de la distance et ne surtout pas personnifier un cas. Ça, c'était ce que les psys préconisaient. Lui, lorsqu'on lui confiait une enquête, il avait au contraire besoin de s'imprégner de tous les éléments du dossier, au risque bien évidemment de prendre l'affaire trop à cœur.

Molosse.

Et c'était ce qui allait se passer avec ce crime. Même si Stan devait accepter de subir les réminiscences freudiennes, lacaniennes ou jungiennes et autres conneries que sa thérapie suivie peu après son arrivée à Détroit avait mises en lumière *(pourquoi ce désastre, pourquoi cet abandon, pourquoi cette souffrance, dites-moi*

25

docteur ?). Retrouver l'enfoiré qui avait tué cet enfant serait peut-être la clef de sa propre compréhension. Stan en était là de son introspection lorsqu'il prit conscience qu'il n'y avait plus personne dans la salle : la jeune femme était sortie sans qu'il s'en aperçoive. Sans doute l'avait-elle salué en partant, de cela non plus il n'avait aucun souvenir.

Le médecin légiste l'appela vers 14 heures pour lui expliquer ses conclusions. Le dossier médical avait été posé quelques instants plus tôt sur son bureau.

— Je t'écoute, Franck, tes poèmes éclairent mes journées !

— Tu es mon meilleur public, Stan, tu le sais bien ! Il n'y a eu aucune violence sexuelle et la mort est bien due à une strangulation. Le décès est survenu vers 3 heures du matin. L'homme qui a fait cela…

— Ou la femme…

— Non, je ne pense pas qu'une femme soit assez forte pour étrangler ainsi un enfant de neuf ans. L'os hyoïde est brisé, la trachée a été écrasée comme une simple canette de soda.

— Merde…

— Donc, l'homme, si je me fie à l'étude des ecchymoses sur le cou, est gaucher. Gaucher et puissant. Le petit n'avait aucune chance.

Stan laissa les paroles du légiste danser quelques instants dans son esprit. Il imagina un géant serrer dans ses anses punitives le frêle cou d'un môme de l'âge de son fils. Il songea également aux parents. Le

26

cadavre serait rendu à la famille dans deux jours, le temps de le « préparer ».

— Toujours là ? s'enquit Frank.

— Oui… juste… je réfléchissais.

— Tous les détails réglementaires sont dans le dossier que je t'ai fait parvenir. Tu remarqueras que le corps était propre, hormis la partie en contact avec le sol. Mais pas de terre sous les ongles, sur le visage, ni dans les cheveux.

— Il a été déposé, suggéra Mitchell.

— C'est toi le flic, mes compétences s'arrêtent à la dernière page du rapport médical ! Les prises de sang n'ont rien donné quant à la toxicologie, la victime n'a pas été droguée.

— OK, merci d'avoir fait vite, Franck.

— De rien, *Molosse* !

— Va chier !

— Eh, Stan ? demanda le scientifique alors que Stan s'apprêtait à raccrocher.

— Ouais ?

— Comment va la famille ?

— Ça va, le petit arrive dans quinze jours.

— Il n'est plus petit, dans peu de temps tu le regarderas en levant les yeux.

— Va chier !

L'inspecteur parcourut le rapport durant une heure encore : les photos du gamin installé sur la table froide et métallique du médecin le mirent mal à l'aise. Aucune empreinte n'avait été retrouvée, le meurtrier portait sans aucun doute des gants, ce qui à cette période de l'année n'avait rien d'extraordinaire. C'est en refermant le dossier que Stan découvrit le prénom du jeune garçon : Peter.

Comme son fils.

Le garçon entendit la porte s'ouvrir. Il prit soin de ne pas bouger, laissant seulement échapper un soupir de sommeil, espérant que ce subterfuge tromperait le géant au point qu'il quitterait la pièce. Mais la silhouette massive avança jusqu'au lit et s'assit à côté de lui, faisant grincer le sommier.

Le rituel était le même : d'abord les coups, délivrés avec une furie démesurée, puis les explications en guise d'excuses qu'il ne prononçait jamais.

Et pour finir, la même histoire, encore et toujours. L'enfant savait qu'en feignant le sommeil il n'échapperait nullement à ce qui suivrait, mais au moins n'avait-il pas à subir le regard fiévreux de son bourreau. Alors il serra un peu plus les paupières et se força à penser à quelque chose de positif tandis que la voix gutturale entamait sa sentence :

« Il était une fois, dans un village reculé, une créature qu'on appelait le Géant de brume. Chaque nuit, lorsque la lune voilée par les nuages n'éclairait qu'à moitié, et que la brume humide léchait les maisons, il venait enlever les enfants qu'on ne revoyait jamais... »

3

Lundi 18 mars 2013

Sarah l'observa à travers la vitre sans tain.

Officiellement, son visage tuméfié était dû à une chute lors de sa tentative de fuite. En vérité, Stan ne s'était pas retenu, il avait vraiment cogné fort.

Simon Duggan était assis seul dans la pièce, les mains et les pieds liés entre eux par des menottes métalliques.

« Sa corpulence rend l'endroit plus petit », se dit-elle en fixant le Géant de brume. La première fouille de la maison n'avait rien livré de concret. Mais lorsque l'équipe scientifique se mit au travail, les preuves s'amoncelèrent : empreintes d'enfants, traces d'urines multiples, cheveux, sang… La cachette où il emmenait ses victimes venait d'être découverte.

Le coupable resta silencieux, sauf pour demander qu'on l'aide.

Lui.

Pas les enfants dont les corps demeuraient absents.

Il fut très vite évident que Stan ne pouvait assister

à l'entretien. La furie ancrée dans les marques que portait à présent le visage de Simon Duggan suffisait à l'expliquer. Sarah, quant à elle, préféra se poster en retrait pour observer ses réactions. Alors l'inspecteur Larry Pulson s'y colla. Ce fut lui qui dut ravaler son envie d'abattre sur-le-champ ce monstre pour lui poser des questions et essayer d'obtenir des réponses. Sarah le vit entrer les poings serrés dans la salle d'interrogatoire et s'installer face au bourreau. Son visage était blanc et transpirant. À l'observer, on aurait dit que c'était lui, le coupable.

« Je suis l'inspecteur Larry Pulson et je suis chargé de mener cet interrogatoire qui sera enregistré », débuta-t-il en ouvrant un dossier devant lui et en désignant une caméra fixée sur son trépied. Son débit était rapide, ses gestes nerveux. Pulson ne souhaitait en aucun cas rester trop longtemps dans la pièce. Il n'était pas certain de pouvoir se contrôler indéfiniment.

« Vous vous prénommez bien Simon, nom de famille Duggan ? »

Silence.

« Je répète ma question : vous vous prénommez bien Simon, nom de famille Duggan ? »

Silence.

Le colosse ne bougeait pas. Il se contentait de fixer d'un air absent un point invisible sur le mur opposé. Ses lèvres tuméfiées par les coups et l'œil qu'il pouvait encore ouvrir, pas celui scellé par un hématome sanguinolent, demeurèrent immobiles.

« Vous êtes en garde à vue et êtes suspecté de la

mort de sept enfants et de la disparition de cinq autres. Reconnaissez-vous les faits ? »

Silence. Raclement de gorge.

Aucun mouvement. La tension dans la pièce monta d'un cran. La température de l'autre côté du miroir sans tain augmenta, tout comme la crainte d'un interrogatoire stérile qui ferait perdre un temps précieux.

« Reconnaissez-vous être le Géant de brume dont toute la presse parle ? » s'impatienta l'inspecteur en se penchant au-dessus de la table, le regard menaçant. La suite était prévisible et nécessaire si le silence persistait : extinction de la caméra, Larry relève ses manches en bras de chemise, il place le dossier entre le visage de Duggan et son poing afin de ne pas laisser de marques, vise les blessures déjà existantes pour diminuer l'effet « avant-après » sur la vidéo.

« Il va parler, pensa Sarah, il le faut. »

Elle regarda le suspect et se souvint des paroles qu'il avait prononcées lors de son arrestation : « Aidez-moi. Vous êtes ma rédemption. » Que signifiaient ces mots ? Elle y avait pensé toute la nuit, sans jamais en avoir la moindre idée. Elle revit son visage alors exempt de coups, ses larmes et son regard implorant. Que voulait-il ? Sarah chassa le sentiment dérangeant qui l'habitait depuis ce face-à-face. En laissant son coéquipier s'occuper de ce géant, en se détournant et en ignorant le bruit des coups tandis qu'elle fumait sa cigarette, elle avait eu l'impression qu'il ne s'agissait que d'un enfant lui aussi, un enfant qui demandait de l'aide à son tour. Une aide incompréhensible sur le moment, répugnante, hideuse. L'envie de ne pas entendre cette supplique, de la repousser, l'en avait éloignée. Mais, par la suite, Simon Duggan n'avait cessé de répéter cette phrase : « Aidez-moi. »

— Où sont les corps des enfants ? insista l'inspecteur en serrant poings et mâchoire.

Immobilité. Chaleur. Muscles qui se crispent et attendent de passer à l'action.

Pourtant un mouvement. Infime.

Duggan fixa pour la première fois le policier. Ses lèvres tremblèrent. Sarah imagina la douleur que cela lui imposait.

— Aidez-moi.

Un début. Un répit.

— Je pourrai vous aider uniquement si vous me dites où se trouvent les corps. Le juge sera plus clément si vous coopérez.

— Aidez-moi.

— C'est donnant-donnant, imposa Pulson. Avec toutes les preuves que l'on possède, vous savez ce qui vous attend. Vous resterez en prison à vie. Vous êtes au courant de ce qu'on fait aux tueurs d'enfants dans ces endroits…

— Je vais parler…

La température de la pièce descendit de plusieurs degrés. Pulson desserra ses mains moites. Il le tenait.

— Sage décision, reprit-il rapidement. Ce qui nous importe pour l'instant est de retrouver les gosses. Sont-ils encore vivants ?

— Uniquement à Sarah Berkhamp, coupa le Géant.

— Pardon ?

— Je ne parlerai qu'à Sarah Berkhamp.

— Bordel, qu'est-ce que…, cracha Sarah alors que Larry, interloqué, la fixait depuis sa chaise comme s'il savait exactement où elle se trouvait.

Ensuite, elle eut la répugnante sensation qu'un étau puissant se refermait autour de sa gorge.

4

Lundi 23 novembre 1998

Les vidéos n'avaient rien apporté de nouveau. Les interrogatoires des témoins potentiels non plus. Aucune empreinte utilisable n'avait été repérée. À croire que le corps était tombé du ciel avec la pluie.

Les emplois du temps des parents concordaient. Retour à la case départ, à la question originelle : *qui ?*

Pour le moment, la presse n'avait que très peu soufflé sur les braises : un faible encart sur le meurtre de Palmer Park, rien de plus. Stan se doutait que son supérieur avait dû intervenir pour prévenir que la ville la plus criminogène du pays n'avait guère besoin de mauvaise publicité supplémentaire. Le cadavre était en quelque sorte resté au placard.

L'inspecteur passa devant le chantier du nouveau casino qui démarrerait dans quelques mois. Perdu au milieu de pavillons vidés de leurs occupants, le terrain vague affichait les intentions des propriétaires : réaliser un édifice impressionnant et hors normes. La ville possédait déjà de nombreux établissements comme celui-ci, certains situés à Downtown et d'autres en périphérie. *À quoi bon en construire un nouveau ?* se demanda Stan. La réponse pourtant évidente lui fit mal au cœur : une nouvelle fois pour laisser les soucis au placard, *imbécile*. Pour distraire les gens de leur pauvreté, les « disneylandiser » au point que les étoiles effacent les larmes dans leurs yeux.

Détroit, 1950. Âge d'or de la ville. Presque deux millions d'habitants. L'une des mégalopoles les plus riches du pays. Le revenu par habitant le plus haut des États-Unis.

Détroit, 1967. Les émeutes les plus sanglantes jamais connues. Police contre peuple noir. Cinq jours d'affrontements. Plus de quarante morts. Cinq cents blessés. Le président Johnson décide d'envoyer l'armée. Plus de sept mille arrestations.

Détroit, 1998. La moitié de la population enfuie en cinquante ans. Des entreprises jadis florissantes qui mettent la clef sous la porte, le taux d'homicide le plus élevé du pays.

Le contre-exemple incarné du rêve américain.

Stan roula vers l'est, jusqu'à Eight Miles Road où le central venait de lui indiquer le lieu d'un nouveau meurtre. Il bifurqua sur la droite et tourna sur Stotter Street puis se gara dans l'allée d'une rue bordée de maisons cossues. Il connaissait l'endroit. Des familles de la classe moyenne, une association, Neighborhood Watch, qui veillait sur la sécurité de chacun, de bons rapports avec la police.

Le pavillon se dressait sur deux étages, fier et solide.

Un drapeau américain flottait, accroché à l'angle du toit au bout d'un mât improvisé. Une mince coursive en bois, colorée de géraniums, surplombait le rez-de-chaussée et courait le long de la façade principale peinte d'un blanc puritain.

Il se dirigea vers le perron, dépassa le gazon impeccable où le corps d'un homme gisait sous une couverture mortuaire. Un autre, vivant, se tenait la tête entre les mains, assis entre deux agents.

— Inspecteur Stan Mitchell. Qu'est-ce qu'on a ? lança-t-il au premier policier qu'il croisa.

— Voilà le topo : l'ancien propriétaire a été expulsé, car il ne payait plus les traites. C'est celui assis là-bas. Il a voulu reprendre sa maison par la force. Le nouveau maître des lieux ne l'a pas entendu de cette oreille. Le ton est monté. *BAM, BAM !* Deux balles dans la poitrine du propriétaire d'une maison à présent orpheline.

— Tout simplement ?

— Tout simplement.

Stan observa le quartier alentour. Quelques rideaux timides s'écartaient pour regarder ce corps allongé. Les discussions sur le sujet accompagneraient le whisky des pères de famille lorsqu'ils rentreraient du travail. Les femmes se demanderaient comment cela pouvait arriver, « ne pas pouvoir payer les traites d'une maison, quand même, il semblait si correct, comme nous », et l'incident serait avalé aussi vite qu'une bouchée de dessert.

L'inspecteur se rendit auprès du criminel en larmes, s'assit sur les marches à son tour et alluma une cigarette.

— Que s'est-il passé ?

L'homme le regarda à travers ses pleurs, renifla bruyamment et se confessa :

— Je… nous aimions cette maison, ma fille est née ici… je suis désolé… je ne pouvais plus payer, alors il y a deux mois nous avons été expulsés. La banque… on pensait que c'était un crédit sûr… mais j'ai perdu mon emploi… cela faisait trop…

— Votre femme ?

— Partie, avec ma fille. Elle ne pouvait plus me regarder sans voir un raté. C'est ce qu'elle m'a dit en me mettant à la porte de l'appartement minable qu'on louait grâce à sa paye.

— Je comprends, avoua Stan, moins pour rassurer cet homme, qui en quelques secondes et pour retrouver l'odeur d'un passé joyeux était devenu un assassin, que par réelle empathie. Oui, il comprenait. Parfaitement. Cela aurait pu être son histoire, si les rues de Détroit ne lui avaient fourni autant de crimes dont s'occuper. Les cadavres détroitiens l'immunisaient contre la folie. Ils lui permettaient de ne pas penser à sa propre histoire, de rejeter au loin sa tragédie intime.

L'inspecteur proposa une cigarette à l'apprenti assassin qui l'accepta d'une main tremblante. Ses yeux crachaient toujours des larmes qu'il ne devait même plus avoir conscience de laisser couler. État de choc. *Ce type a été poussé à tuer*, conclut Stan, *ce n'est pas lui qui a tiré, son ombre jungienne a appuyé sur la détente. Deux fois. Dans peu de temps, il n'aura aucun souvenir de l'acte. Ce sera comme lui parler de quelqu'un d'autre.*

— Je suis venu ici pour essayer une nouvelle fois d'expliquer à ce type que je souhaitais reprendre cette maison, plus tard, dès que j'aurais retrouvé un emploi.

— Mais il n'a pas accepté.

— Non. Il m'a ri au nez, me disant qu'il avait eu cette habitation pour une bouchée de pain et qu'il était hors de question qu'il me la cède, qu'il se foutait de mon existence minable. La vie est difficile dans ce quartier. Vous n'êtes pas de Détroit ? lui demanda-t-il en tirant nerveusement sur sa cigarette.

— Non, répondit Stan en crachant un nuage de fumée vers le ciel indifférent. Washington.

— Des amis à moi ont été expulsés aussi. Le père s'est suicidé. Ils nous ont bien eus avec leurs crédits à la con.

Dix minutes plus tard, alors que Stan regardait les agents emmener le coupable au poste, son téléphone se mit à vibrer. Franck. Le légiste. Il décrocha :

— Salut, Franck, dis-moi que tu as du nouveau sur le meurtre de la semaine dernière. J'ai besoin d'ondes positives.

— Je ne pense pas être le spécialiste des ondes positives, Stan. Du moins pas avant quelques verres.

— Alors que me vaut cet appel ?

— On a un problème, lui confia le médecin.

— Lequel ?

— Je suis dans ton district, lâcha Franck, un corps a été retrouvé.

— Eh bien, il y a foule ce matin ! Je suis déjà en train d'en observer un, ironisa l'inspecteur alors que

38

les brancardiers soulevaient le cadavre du gazon pour l'installer dans l'ambulance.

— Il s'agit d'un enfant, murmura le légiste avec précaution.

— Un enfant ?

— Même âge. Mêmes hématomes autour du cou.

5.

— Pourquoi veut-il vous parler à *vous* ?

Sarah se trouvait dans le bureau du capitaine Craig.
Il venait de regarder la vidéo de l'entretien. La requête
de Duggan sentait le coup fourré, tous les deux en
avaient parfaitement conscience.

— Je n'en sais rien, monsieur, mais cela me met
mal à l'aise, avoua-t-elle.

— Que vous a-t-il dit dans cette maison ?

— Rien de plus que ce que j'ai écrit dans le rapport, répondit Sarah d'une intonation trop appuyée.

Elle était sur la défensive. Cette question remplie
de sous-entendus la dégoûtait autant que la requête
du Géant. Elle se tassa un peu plus dans le fond de
son siège, repassa la scène de l'arrestation dans sa
tête, les paroles de Simon Duggan, les poings serrés
de Stan, les chiens errants observant passivement les
va-et-vient de la police…

— Et il n'a pas demandé d'avocat ?

— Non. Juste moi, déplora-t-elle.

— Hum…

Craig posa les coudes sur son bureau, joignit les mains contre son front et ferma les yeux un instant. Il se souvint des unes des journaux à la fin des années 1990. Il se récita silencieusement celles plus récentes et qui entachaient directement sa fin de carrière. Ils tenaient enfin le Géant de brume. Maintenant, il fallait absolument le faire parler.

— Nous devons étudier cette approche, conclut-il en rouvrant les yeux pour fixer Sarah. C'est peut-être notre dernière chance de retrouver ces gamins vivants.

— Monsieur, je ne suis pas certaine de pouvoir…

— Sarah, je me fiche de ce que vous pensez, s'emporta-t-il. Des familles attendent des réponses, le maire attend des réponses, le pays tout entier attend des réponses depuis que ce Géant de brume fait la une de tous les médias !

Il avait raison. Sarah ne le savait que trop bien. Plus d'une semaine que le capitaine lui avait confié cette enquête. Au début, il ne s'agissait que d'une présumée fugue. Puis les disparitions avaient continué. Alors un vieux dossier était réapparu. Un dossier que personne dans la police de Détroit n'aurait souhaité ressortir du placard à archives. Personne, hormis son partenaire.

— Je sais, capitaine, murmura-t-elle.

— Des années à essayer de l'attraper et, maintenant que nous l'avons, nous nous devons d'obtenir des réponses. Il n'y a aucune autre solution, laissez vos doutes de côté.

— C'est juste que… j'ai une drôle d'impression…

Hanz Craig connaissait mieux que quiconque la

41

jeune femme assise en face de lui. Il avait également beaucoup côtoyé son père. Harry Berkhamp et lui avaient patrouillé ensemble pendant de longues années, et le futur directeur de la police avait alors vu la petite fille devenir adolescente puis étudiante à l'académie de Détroit. Sarah possédait un potentiel important, très prometteur. Mais elle avait aussi ses démons : ses *impressions*. Ces voix que personne d'autre qu'elle ne percevait. Harry lui avait expliqué qu'il la surprenait souvent à parler tout bas à ce fameux et nécessaire ami invisible que rencontrent la plupart des gosses. Chez Sarah, cela avait continué bien au-delà de l'âge considéré comme normal.

L'année de ses quinze ans, Harry l'avait dirigée vers une psychologue. Sarah avait déjà en tête l'idée de devenir policière à son tour, et de marcher ainsi sur les traces de son père. Le diagnostic fut rapidement établi, et, à sa grande surprise lorsqu'il écouta les explications du spécialiste, assez banal : hallucinations auditives mineures. « Cela passera avec le temps, rien d'inquiétant. Cette jeune fille n'a nullement besoin de neuroleptiques, juste d'antimigraineux. Les voix diminueront d'elles-mêmes, jusqu'à disparaître. »

La prédiction se révéla juste. Par la suite, Sarah n'entendit que très rarement les voix, et la fréquence des migraines diminua grandement. Elle fut cependant obligée d'indiquer ce diagnostic lorsqu'elle intégra quelques années plus tard l'école de police. L'écho de ces voix, qu'elle renomma par la suite du terme plus

commun et moins médical d'« impressions », se tarit,
au point de les oublier.

Jusqu'à ce que Hanz Craig la charge de l'enquête.

— Sarah, écoutez, je sais que travailler sur cette
affaire a été très difficile. Mais c'est moi qui vous l'ai
confiée, car j'avais foi en vous et en votre partenaire.
Et j'ai eu raison. Vous l'avez attrapé. Alors maintenant il faut finir le job. Vous l'interrogerez demain
matin, profitez de cette nuit pour vous reposer. Nous
en avons tous besoin.

— Très bien, monsieur, se résigna-t-elle.

— Oh, encore une chose avant que vous partiez.

— Oui ?

— Stan ne s'est pas retenu, hein ?

— Non, capitaine, mais…

— Cette affaire est surmédiatisée. Les journalistes
en oublient presque de parler des maisons abandonnées qui transforment Détroit en ville fantôme. Alors,
soyez prudents avec l'inspecteur Mitchell et accordez
bien vos violons sur la chute dans l'escalier. On ne
sait jamais.

— Bien, monsieur.

*L'enfant attendit que la porte se refermât pour
reprendre une respiration normale. En plissant les
yeux, il aperçut à travers l'arc lumineux qui provenait
du couloir l'ombre du Géant se baisser pour passer
le chambranle. L'histoire était terminée. Il avait cru*

deviner des larmes vers la fin, mais sans doute les reniflements n'étaient-ils dus qu'à un simple rhume. Le jeune garçon ne comprendrait que plus tard de quelle maladie souffrait l'adulte. Il arriverait même à la ressentir, cette tristesse qui le violentait et qui le poussait à les violenter eux. Mais pour l'instant, recroquevillé dans son lit, il ne pensait qu'à une seule chose : la protéger, elle. Cet après-midi il avait trouvé une cachette où elle pourrait se murer le temps que le Géant exprime sa colère et son dégoût.

« Va où les herbes poussent. »

Elle saurait immédiatement où aller. Bien évidemment il faudrait qu'il le lui montre une fois. Mais ensuite, elle pourrait s'y rendre en peu de temps.

« Va où les herbes poussent. »

Ainsi elle serait à l'abri. Et tant pis si les coups du Géant s'abattaient sur lui. Il savait qu'une fois la fureur passée elle pourrait rentrer calmement.

Alors elle ne risquerait plus rien.

6

Mardi 24 novembre 1998

Cette fois, les journaux se déchaînèrent.

Deux meurtres d'enfants en l'espace de huit jours, les ventes allaient décoller.

La victime se prénommait Kevin.

C'est ce que lut en premier Stan lorsqu'il eut le dossier devant lui : Kevin, onze ans, type caucasien. Le compte rendu aurait pu être un copier/coller du premier crime : les hématomes, les hémorragies pétéchiales dans le blanc de l'œil, l'absence de violences sexuelles…

Kevin devait attendre ses parents sur le parking du terrain de sport où il venait de participer à un match de baseball. Son père ayant eu un empêchement au travail appela sa compagne pour qu'elle se rende là-bas. Lorsqu'elle arriva, l'endroit était désert. Elle téléphona à ses amis pour savoir si son fils se trouvait chez eux, mais pas un ne répondit positivement. Ils l'avaient tous vu, assis sur un banc, jouant avec sa balle. Deux heures plus tard, après avoir roulé en vain dans les rues autour du stade, les parents se décidèrent à composer le 911. L'opérateur réagit rapidement en lançant un ordre de recherche à toutes les patrouilles du district.

Mais deux heures s'étaient écoulées.

Une éternité.

Le rapport de Franck précisait l'horaire du décès : 5 heures du matin. La nuit, comme le précédent meurtre. Et toujours aucune trace de lutte. Stan se saisit des photos. Kevin gisait contre la terre humide d'un terrain vague. De loin, on aurait pu croire qu'il dormait. Position de sommeil. Couché sur le côté. La paume de la main droite sous sa joue. Les jambes repliées vers la poitrine. Kevin avait été déposé avec précaution. Comme l'on dépose, sans le réveiller, son fils épuisé sur la banquette arrière d'une voiture en rentrant d'une soirée.

Le bruissement discret de l'incompréhension se répandit. Dans la police comme en prison, il y avait une limite à ne pas dépasser : s'en prendre à des enfants. La crainte d'un tueur en série surgi de nulle part s'immisça en chaque agent du douzième district et changea sa perception du quotidien. Leurs regards se firent plus curieux lorsqu'ils apercevaient un adulte puissamment bâti tenir un enfant par la main, au supermarché comme à la sortie des écoles. Chaque fois que la radio de patrouille crépitait, pas un ne pouvait ignorer que ses pulsations cardiaques augmentaient sensiblement.

Stan, quant à lui, se mura dans un silence lourd de malheurs à venir. Car si les *modus operandi* se ressemblaient au détail près, il en était de même pour l'absence totale de preuves ou d'indices. Quand un journaliste lui demanda à la sortie du central si on pouvait supposer la présence d'un serial killer, l'inspecteur faillit lui rétorquer qu'à l'école de police on apprenait que pour parler officiellement de serial killer il fallait au moins trois victimes. Et s'il garda cette nuance macabre pour lui, c'est qu'il savait, même s'il ne pouvait l'admettre, que cette définition risquait d'être utilisée prochainement.

Le central fut inondé d'appels émanant de personnes affirmant avoir tout vu. Les standardistes notèrent les déclarations et ragèrent de n'entendre que des paroles ubuesques et contre-productives. Ils rappelèrent à chaque interlocuteur le risque juridique d'un faux témoignage, mais rien n'y fit. Ils entendirent parler de volonté divine, de vaisseaux spatiaux, de ville en fin de règne et de légende de voleur d'enfants.

Comme le règlement l'exigeait, les parents du petit Kevin durent subir un interrogatoire, essentiel dans ce genre d'affaires.

Ils en ressortirent les yeux rougis de tristesse et de haine enflammée envers les flics.

— Salut p'pa, ça va ?

Stan sourit lorsqu'il entendit la voix de Peter à travers le combiné. Son ex-femme, surprise par son appel, lui fit remarquer que d'habitude il ne téléphonait pas en début de semaine. Stan se retint de lui balancer que les coups de fil n'étaient pas sujets à une quelconque restriction. Il préféra se concentrer sur les paroles de son fils.

— Alors, l'école ? lui demanda-t-il en ressentant l'envie de rentrer à l'intérieur du combiné, de suivre le courant électrique jusqu'à Washington et d'étreindre Peter.

— Bien.

— Et le sport ?

À cette question bien plus intéressante que la première, le ton de son fils changea et l'excitation résonna dans l'appareil.

— J'ai dribblé un grand l'autre jour, il avait au moins deux ans de plus que moi !

— Super, je suis fier de toi.

Fier, pensa Stan en serrant le combiné, *mais absent de tout cela. Combien de temps ta mère va-t-elle maintenir la restriction de visite, combien de temps encore va-t-elle m'éloigner de toi ? N'ai-je pas assez souffert ? Tous ces matchs, tous ces anniversaires, tous ces rires que je n'ai pas pu partager avec toi... N'est-ce pas suffisant ?*

— P'pa ?

— Oui ?

— Vincent a promis qu'il allait m'acheter une console de jeux !

— Vincent ?

— Ouais, le chéri de maman.

— OK.

— Mais il m'a dit que je devais te demander si tu étais d'accord.

— Ah, oui.

— Oui, et après m'man elle a dit qu'on s'en fichait de ton avis.

— Je t'aime, mon chéri, je dois raccrocher. N'oublie jamais que je t'aime.

Le téléphone heurta avec fracas le mur sur lequel Stan venait de le lancer. Il aurait aimé ajouter tant de choses, mais la colère avait été plus forte. *Ne laissez pas la violence vous envahir. Respirez, ne personnifiez pas les reproches. Ne laissez pas la noirceur guider vos gestes et pensées.*

Comment suivre les conseils d'un psy lorsque l'on doit se contenter d'une voix ? Une voix électrifiée, dissonante, dénaturée. Une voix trafiquée en ersatz d'un visage à embrasser, d'un corps à serrer contre soi et à réconforter. Comment se satisfaire d'une ombre tandis qu'à quelques kilomètres son sourire illumine le quotidien d'inconnus ? Comment un père peut-il survivre à cela ?

Stan se leva et alla chercher la bouteille de whisky dans le placard de la cuisine. Il s'en servit un verre qu'il vida d'un trait. Le liquide ambré brûla sa gorge déjà fragilisée par les cigarettes, mais il jugea la sentence trop légère. Alors il porta la bouteille directement à sa bouche et avala les gorgées les unes après les autres.

Souhaitant en souffrir.

Souhaitant en mourir.

7

Mardi 11 mai 1999

Pendant les six mois suivant le meurtre de Kevin, il n'y eut aucune disparition à signaler.

La vie continua. L'hiver glacial arriva, puis se transforma en printemps.

Les fondations du casino se dessinèrent doucement. Les ormes d'Amérique, les frênes noirs, les chênes de Palmer Park reprirent de la couleur et les gamins continuèrent à jouer au football.

Les deux visages hantèrent plusieurs nuits le sommeil des policiers qui travaillaient sur ces affaires, mais là aussi ils perdirent de leur substance et s'évanouirent, repoussés par les rêves de chacun. Cependant, les deux photos restèrent placardées sur le mur du central. Aucune main n'eut le courage de les en décrocher.

Stan profita de la présence de son fils pendant les vacances d'hiver et se rendit compte qu'il était sa véritable thérapie. Ils parlèrent de tout et de rien et, passé une courte période d'adaptation, se regardèrent dans les yeux et virent finalement en l'autre leur propre reflet. Ils assistèrent à un match de baseball, se vautrèrent devant la télé comme des adolescents qu'ils n'étaient plus ou pas encore et devinrent subitement silencieux quand ils roulèrent en direction de la gare pour le trajet du retour. Stan observa le train qui disparaissait et voulut s'y accrocher pour le retenir. Durant quelques jours, son fils lui avait fait oublier les enfants morts. Le ciel de Détroit semblait moins gris lorsqu'il était là. Et maintenant, à peine les wagons disparus, avalés par un virage à destination de Washington, ce ciel le fixait de son œil torve et laiteux, avec des nuages épais en guise de sourcils menaçants.

Il repoussa larmes, jurons et colère, ne gardant que le souvenir du visage de son fils, et traversa la gare en direction du parking.

Sonia, vingt ans, faisait des ménages.

Du moins, c'est ce qu'elle prétendait lorsqu'elle quittait la maison familiale pour aller travailler. Elle prenait un taxi et se dirigeait vers l'un de ses clients, et ce, plusieurs fois par semaine. Cette nuit-là, un « ménage » devait être effectué en centre-ville, chez un homme qui, disait-on, était riche et puissant. Elle se maquilla un peu plus, choisit ses plus beaux sous-vêtements, ceux d'habitude réservés à son petit copain, et sonna à l'Interphone d'un building luxueux proche du chantier de construction du nouveau casino. Une voix masculine, celle du réceptionniste assis quelques mètres plus loin, à l'abri derrière un desk démesuré, lui répondit d'un ton ensommeillé :

— C'est pour quoi ?

Sonia hésita un court instant. Que devait-elle dire, c'était la première fois qu'elle se rendait dans ce quartier d'affaires ?

La première fois.

Un client riche et puissant.

Fonce.

— Je viens voir M. Falco.

— Vous avez rendez-vous ?

— Oui.

— Votre nom ?

— So… ce doit être au nom de Sonia.

La réponse se fit attendre, si longtemps que la jeune femme craignit une mauvaise blague. Pourtant les demandes étaient filtrées par une agence qui assurait le sérieux et la sécurité de tout « ménage ». Ensuite, les filles recevaient un SMS leur indiquant le lieu, l'heure et le nom du client. Et il n'y avait jamais eu de problème, alors pourquoi ce réceptionniste consultait-il son ordinateur en la laissant dehors ?

— Ah, je vous ai. C'est pour le ménage, n'est-ce pas ?

— Oui… c'est cela.

— Très bien, entrez.

Le claquement du pêne automatique l'invita à quitter le froid de la rue. Elle passa une deuxième porte toute de verre et dorures. Le factotum en costume se leva avec élégance et lui indiqua l'ascenseur en précisant que l'appartement de M. Falco se trouvait au

52

troisième étage. Elle le remercia d'un sourire discret et sentit le poids de son regard sur sa silhouette alors qu'elle s'éloignait. Elle ne lui en voulut pas. C'était ce pour quoi les hommes la payaient : son corps. Elle pénétra dans la cabine, pressa sur le bouton 3 et laissa sa vie s'élever vers le luxe et le bonheur intouchable d'une existence qu'elle aurait souhaité connaître depuis toujours.

Dix minutes plus tard, tandis que M. Falco, pas si prince charmant que cela, plutôt gras avec un visage tout en rondeur, émettait des grognements étranges en la culbutant par-derrière, Sonia se concentrait sur la vue panoramique que lui offrait l'immense baie vitrée. Bien sûr, elle le voyait dans le reflet de la vitre, il s'acharnait en suant à grosses gouttes, en quête d'un plaisir dont elle douta un instant qu'il puisse l'atteindre. Elle sentait ses mains épaisses écarter ses fesses avec une pression grandissante, comme si le secret de l'univers entier y était caché, allant et venant avec la précipitation d'un jeune puceau. Mais en se concentrant sur la ville, elle réussit à l'oublier, à s'extraire de la scène comme elle le faisait toujours.

— Regarde ce casino qui se construit, lui avait-il dit quelques instants plus tôt alors qu'il l'installait en levrette, à califourchon sur le canapé en cuir. Il m'appartient, et de ce bureau je peux le voir grandir de jour en jour. J'aurai sans aucun doute besoin de filles comme toi lorsque tout sera fini. Je ferai de toi une pute riche.

Puis il l'avait pénétrée et son esprit s'était échappé vers le site de construction qui ferait sa fortune, même si elle n'oublia pas de pousser quelques gémissements de plaisir. Le pourboire en dépendait.

Alors que les mains de M. Falco se crispaient sur ses hanches, Sonia aperçut une silhouette massive qui marchait le long des barricades de sécurité entourant le terrain du casino. « Si grande », prononça-t-elle malgré elle en suivant l'homme, qui bien qu'éloigné de trois étages lui parut être un géant.

— Tu les aimes grandes, hein, salope ?

Elle ravala un rire malvenu. Avait-elle parlé si fort ? Les coups de hanches que lui portait son client claquaient comme des coups de fouet. Il allait venir, bientôt. *Reste pro*, se dit Sonia en oubliant le géant au-dehors pour se concentrer sur le mini prince charmant derrière elle.

— Oh, oui, je les aime grandes comme la tienne, vas-y… je viens aussi…

Deux secondes plus tard, un râle puissant et ridicule l'informa du parfait accomplissement de sa mission. Le client se retira sans cérémonie et lui tendit une boîte de mouchoirs en papier avant de disparaître dans les toilettes. La jeune femme s'essuya, rêva d'une douche purificatrice et tourna son visage vers la baie vitrée.

Elle le vit de nouveau.

Péniblement, car elle dut se concentrer pour l'apercevoir dans l'obscurité. La silhouette resta un court instant immobile. Sonia cligna des yeux pour augmenter son acuité visuelle. Non, elle n'hallucinait pas, il y avait bien un homme, là, tapi dans l'ombre. La silhouette se mit en mouvement pour longer de nouveau le site de construction. Elle la suivit des yeux et la perdit quand elle tourna au coin de la rue.

— Un putain de géant, murmura-t-elle, comme dans la légende que mon père me racontait.

Avant de prendre l'ascenseur, Sonia vérifia l'argent que le client venait de lui donner. Quatre cents dollars. Le compte était bon : 200 pour elle et le reste pour l'agence, accord convenable dans le métier. Elle salua le réceptionniste en lui lançant un « à bientôt », le prévenant ainsi que la prochaine fois il serait inutile de la laisser poireauter dehors plus que nécessaire, et embrassa l'air frais de Détroit. Elle demeura un court instant immobile devant l'immeuble, à réfléchir. Pas à propos de la baise, non, cela ne méritait aucune réflexion. Sonia ressentit seulement l'envie de se diriger vers l'endroit où elle avait aperçu la silhouette afin de vérifier un détail qui la tracassait : le paquet. Elle en était certaine à présent, quelque chose avait changé entre sa première vision du géant et la seconde. Un détail difficilement perceptible. À moins de s'être concentrée profondément comme elle l'avait fait pour fuir le martèlement primitif de M. Falco. Le paquet. L'inconnu portait un paquet sur son épaule. Puis il avait disparu derrière une barricade mal fixée. Et lorsqu'il était ressorti, il n'avait plus rien avec lui.

Le paquet.

Un coup de klaxon sortit Sonia de ses rêveries et elle leva machinalement le bras lorsqu'elle comprit qu'un taxi en maraude lui proposait ses services. La

jeune femme rentra chez elle, prit une douche interminable et oublia les histoires de princes charmants et
de géants qui avaient bercé son enfance.

Du moins jusqu'au lendemain.

8

Mercredi 12 mai 1999

Le terme redouté devint une réalité.

« *Le serial killer court toujours* ». Tel fut le titre, en première page du *Detroit Free Press*, assorti d'une photo du troisième enfant mort. La victime était cette fois une petite fille, ce qui laissa perplexes les spécialistes de plus en plus nombreux à donner leur avis. Pour eux, l'assassin aurait dû ne viser que des garçons. C'était le schéma classique. Un tueur en série, une catégorie de cible privilégiée. Une section spéciale du douzième district fut créée et dédiée uniquement à la traque du tueur d'enfants. Stan hérita du poste d'inspecteur principal. Il dut annoncer à son ex-femme qu'il ne pourrait accueillir leur fils pour les prochaines vacances, ce qu'elle fit mine de comprendre. Mais son silence hurlait les insultes et le dédain.

Le grand mur blanc de la salle de réunion se couvrit des photos des cadavres, mais aucun fil de couleur ne vint les relier entre elles par un quelconque témoin ou indice. Les visages placardés des anges déchus ne se regardaient jamais, ils s'ignoraient et ne possédaient aucune correspondance entre eux, que ce fût dans leur mort ou durant leur vie.

Gwen, neuf ans, s'ajoutait donc à la liste des jeunes victimes. Le petit corps fut retrouvé sur le site du casino. La carotide écrasée, la tête penchée sur le côté, le cou gonflé par la violence de la pression, le doré de sa chevelure blonde mourant dans la boue de la terre meuble. Sa posture faisait penser à celle d'un canard dont on aurait brisé les vertèbres. Les parents firent une déclaration de presse où ils fustigèrent la passivité mortifère de la police de Détroit. « Son incapacité à trouver des indices permettra au tueur de faire d'autres victimes. Détroit ne survivra pas à la mort de ses enfants. »

L'un des propriétaires du chantier du casino s'en émut et regretta de n'avoir rien remarqué alors que son appartement offrait une vue générale sur l'endroit. Il promit assez maladroitement que la plus grande suite porterait le nom de la fillette et qu'une aide financière serait attribuée à la recherche de l'assassin.

Stan maigrit de quelques kilos. À chaque coin de rue, dans chaque cour d'école, il apercevait les trois enfants, se tenant par la main, chantant des comptines dont il ne percevait pas les paroles.

Les nuits devinrent plus courtes, les lampées d'alcool plus longues. Comme en écho à cette menace exponentielle, les maisons du centre-ville se vidèrent encore de leurs habitants. Ce phénomène aussi incompréhensible que soudain n'alarma pas plus les politiques. D'accord, des Détroitiens quittaient le navire, mais la ville bougeait et s'agrandissait. Rien à foutre de la baisse constante de la démograhie et de l'exil des sociétés : *Détroit renaîtrait de ses cendres.*

Bien que retrouvée en dehors du douzième district, le dossier concernant la troisième victime atterrit sur le bureau de Stan. Il était le responsable de la cellule chargée des « enfants étranglés », un nouveau terme que les journaux usaient jusqu'à satiété, ce qui faisait de lui le parrain de ces cadavres. De plus, il était certain qu'aucun autre inspecteur ne se serait porté responsable de l'un de ces enfants : l'affaire s'annonçait trop sensible et casse-gueule pour s'y mêler.

— Que fait-on ?

— Je n'en ai aucune idée, lâcha Stan en réponse à son adjoint qui venait de s'asseoir face à lui.

— Je pensais que tout se serait arrêté…, soupira Mat.

— Nous l'espérions tous. Mais maintenant nous nous retrouvons avec une petite fille tuée selon le même procédé.

Tous deux tournèrent le visage en direction de la dernière photo punaisée sur le mur.

— Pourquoi des enfants ? Colère, vengeance, frustration ?

— J'en sais foutrement rien, reconnut Stan. Le *modus operandi* est le même. Pas de revendication ni de message. D'habitude ces cinglés nous narguent, mais ici rien.

— Nous défier en abandonnant des cadavres lui suffit peut-être…

— Nous devons lancer un appel à témoins.

Mat quitta les photos pour se retourner et fixer Stan. Celui-ci arborait beaucoup plus que de la lassitude ou de la fatigue. Son regard brisé et les cernes gravés dans son visage amaigri annonçaient bien pire que cela : de la résignation.

— Mais tout le monde va penser que l'on n'a aucune piste ! rétorqua Mat.

L'appel à témoins représentait souvent la dernière solution à un problème insoluble. Bien que cela se révèle parfois utile, la police n'aimait en général guère y avoir recours : demander de l'aide à la population symbolisait l'échec de l'enquête et, par corrélation, l'incompétence des personnes chargées de la classer.

— Bordel de merde, nous n'avons aucune piste ! Nous devons montrer que nous agissons…, éructa Stan en quittant la pièce.

Il erra de longues semaines dans les rues de la ville. L'appel à témoins n'avait donné que des tissus de conneries. Le maire cogna fort sur le bureau du directeur de la police qui à son tour tapa fort sur celui de Stan. Stan, lui, n'eut aucun bureau sur lequel exprimer sa colère et son désarroi, aussi le fit-il en travaillant jour et nuit, se jurant de retrouver le tueur.

L'équipe du douzième district vérifia les papiers et les emplois du temps de tous les commerçants fixes ou itinérants proches des écoles, parcs, stades et autres lieux de loisir. Les bandes-vidéo des rares caméras de la ville encore en service furent décortiquées, n'apportant rien sinon du découragement. Les moulages des différentes empreintes de pas ne donnèrent que peu d'éléments. Leur seule piste : des empreintes à semelles lisses présentes sur les deux premières scènes de crime. Aucune marque de chaussure détectable, à cause de l'usure que Stan devina volontaire. Les moulages révélèrent une pointure 45. Après étude de la profondeur des traces et de la résistance du terrain, les experts médico-légaux annoncèrent un poids de 110 kilos et une taille approximative de 1,90 mètre. Seulement, pas d'empreinte identique relevée autour du troisième cadavre.

Tant pis.

Suivre l'unique piste.

Molosse.

Tous les contremaîtres et les employés du chantier du casino furent listés. Ceux qui correspondaient au profil pointure-taille-poids, nombreux dans ce métier, subirent un interrogatoire. Tous livrèrent des alibis solides pour les dates des trois meurtres, tous sauf trois : Sergio Ramirez, émigré mexicain en route pour le Canada, Devon Mc Neel, attardé mental imposant, incapable de se souvenir de ce qu'il avait fait la veille, et Simon Duggan, jeune homme qui bossait depuis six mois pour la société chargée des travaux. Stan demanda à son capitaine l'autorisation de mettre en place des filatures discrètes de ces employés. Son supérieur tiqua. Le budget ne le permettait pas. Les résultats obtenus jusqu'ici par l'équipe du douzième district encore moins. Stan soutint le regard de son chef. Il lui dit de ne compter que deux filatures, que la troisième, ce serait lui qui la ferait, à l'œil.

Sa requête fut acceptée. Pour une semaine seulement. Et pas de mise sur écoute. Aucun magistrat ne l'aurait validée.

Seulement, les nuits de surveillance n'apportèrent rien de plus. Les policiers en planque observèrent des vies rythmées par le vide. Les suspects travaillaient, rentraient chez eux le soir et repartaient au boulot le lendemain. Trois célibataires au casier judiciaire vierge et sans vices apparents.

Sonia comprit immédiatement qu'elle l'avait vu, lui, celui dont tous les journaux parlaient. Ce géant… pendant qu'elle se faisait baiser par M. Falco. Ses mains tremblèrent. Le paquet… serait-il possible que… *Oh, mon Dieu !*

Et si elle s'était dirigée vers le chantier, aurait-elle pu sauver la petite fille ?

Elle laissa de côté son petit déjeuner et relut l'article pour la troisième fois. Elle devait prendre une décision. Devait-elle se rendre à la police auprès de cet inspecteur chargé de l'affaire ? Il aurait de nombreuses questions à lui poser : qu'est-ce qu'elle faisait dans cet appartement ? Pourquoi n'avait-elle pas réagi immédiatement ? Pourquoi ne pas avoir alerté les flics, le gardien de l'immeuble ou Falco lui-même – dont le nom serait cité dans les journaux, anéantissant ainsi la promesse de travailler pour lui une fois la construction terminée ? Sonia ferma les yeux, chassa le visage inerte de Gwen de son esprit.

Elle avait besoin d'argent. Le voyage prévu pour

le Nouvel An avec son amie Jennie. Les cadeaux de Noël pour son petit copain, de nouvelles tenues sexy pour affrioler et fidéliser sa clientèle. Et puis quoi ? Dévoiler à ses parents et à son amoureux que les ménages n'étaient en fait que des passes ? Affronter leurs regards, son départ sans aucun doute ? Non, elle ne pouvait pas se le permettre, pas maintenant. La jeune femme replia le journal avec respect puis le mit de côté, sur la pile des anciens quotidiens que son père utilisait pour allumer la cheminée. La culpabilité qu'elle ressentait s'envolerait en fumée, cette image lui donna espoir. *Détroit est une ville sans pitié*, se dit-elle, *chacun doit se battre pour survivre. Je suis désolée que ce géant t'ait attrapée, Gwen, mais je ne peux plus rien faire pour toi.*

L'été passa. En septembre, les fonds attribués au service de Stan diminuèrent sensiblement en réponse à son incapacité à dénicher le moindre indice. Le tueur était méticuleux. Il avait agi de manière rapide, surveillant sans aucun doute les endroits où se trouvaient les enfants puis attendant la faille. Il portait des gants, se faufilait dans la nuit comme une ombre, étranglait ses victimes quelque part et les déposait ailleurs. L'hiver, finalement, revint prendre possession de son territoire. Les photos des victimes accrochées dans la salle de briefing perdirent de leurs couleurs. Les familles faisaient leur deuil, les souvenirs de leurs enfants s'obscurcissant à leur tour.

Détroit oubliait.

Stan cogna plus fort contre le sac de frappe. Il muscla ses bras, consolida ses poignets, fit saigner ses phalanges et s'essouffla en imaginant tenir le responsable.

La nouvelle année arriva et en février 2000 la fin du monde tant annoncée s'abattit sur la ville. Elle ne se présenta nullement sous les traits d'anges exterminateurs aux épées de feu descendus du ciel pour punir les mécréants et les non-croyants comme l'avaient promis certains médiums.

Mais prit la forme de quatre angelots sacrifiés.

9

Mardi 19 mars 2013

Sarah s'installa face à *lui*.

Elle tremblait. Son corps entier, son âme n'avaient pas envie d'être ici, si proches de ce géant. C'était comme de s'asseoir à quelques centimètres d'une maladie contagieuse. De l'autre côté de la vitre sans tain se trouvaient le maire, le capitaine Hanz Craig et Daryl Shefferson, l'avocat représentant le regroupement des familles des victimes.

Elle inspira trop fortement pour ne pas dévoiler son anxiété, puis remit une mèche brune qui venait de s'échapper de son chignon réglementaire. Simon Duggan l'observait sans mot dire, sans expression non plus. À l'instant où elle avait pénétré dans la pièce, elle avait cru entrevoir du soulagement, comme une joie infime dans son regard. Elle espérait se tromper.

— Vous vous appelez Simon Duggan, n'est-ce pas ?

— Oui.

Stupéfaction des témoins derrière la vitre sans tain. Déclenchement de l'enregistrement.

— Avez-vous tué les enfants ? continua Sarah, consciente d'avoir lancé cette phrase d'une manière trop brusque, comme une supplication.

— Je signerai des aveux complets, prononça Duggan d'une voix éteinte.

Seules ses lèvres bougeaient. Sa silhouette demeurait immobile, tête baissée vers ses genoux.

— Répondez à ma question, s'il vous plaît. Avez-vous tué les enfants ?

— Je ne sais pas.

Sarah le fixa quelques secondes, attendant une explication à cette réponse qui n'en était pas vraiment une.

— Êtes-vous celui que l'on a surnommé le Géant de brume ? insista-t-elle en ignorant les battements appuyés dans sa poitrine.

— C'est un nom qui me plaît. Je connais cette légende, répondit Duggan en relevant lentement la tête.

Sarah se fit accrocher par son regard. Elle s'y perdit quelques secondes et n'y croisa que le vide. Ces deux prunelles sans vie inondèrent sa gorge d'un relent nauséeux. Elle déglutit difficilement, priant pour ne pas vomir, et prit alors conscience de la chaleur suffocante de la pièce.

— Collaborer avec nous vous aidera par la suite, articula-t-elle difficilement, je vous le promets. Mais pour l'instant il est urgent de nous dire où sont les enfants. Ceux qui n'ont pas été retrouvés. S'il vous plaît.

Silence dans la pièce. Silence dans la tête de Sarah. Silence dans les chambres des victimes. L'inspectrice s'en voulut immédiatement d'avoir utilisé cette formule de politesse. Dans certains cas, cette technique qui consistait à flatter l'ego du suspect en lui donnant l'impression d'être celui qui dictait le jeu pouvait se révéler judicieuse. Mais pas ici. Pas avec ce tueur d'enfants. En aucun cas, elle ne souhaitait lui donner l'occasion de se satisfaire de ses actes.

Pourtant, Duggan semblait ne pas avoir entendu ces paroles. Aucune étincelle de supériorité ne brilla dans son regard, qui demeurait impassible et inerte. La jeune femme ferma un instant les yeux. Elle se concentra, ignora le goût âcre de sa salive tout comme la sueur qui perlait sur son front. Elle se sentit soudainement épuisée, à bout de nerfs, et tenta de trouver les forces nécessaires pour continuer l'interrogatoire. Sarah eut conscience d'être happée par une certaine léthargie. *Il faut retrouver les enfants*, se répéta-t-elle en inspirant lentement, *tu dois le faire parler, il faut mettre un terme à tout cela.* Une voix lointaine s'échoua contre les rives de cette subite somnolence. *Tu es en sécurité maintenant... tu es ma rédemption.* Elle rouvrit les yeux brutalement. Avait-elle rêvé ces paroles ? Il lui semblait cependant les avoir entendues de manière beaucoup trop cristalline. Le Géant de brume la fixait toujours. Mais une lueur étrange brillait à présent dans son regard :

— Tu es ma rédemption, répéta-t-il.

— Pa... pardon ?

Sarah comprit qu'elle ne tiendrait pas longtemps. La chaleur devenait suffocante, sa gorge la brûlait comme si deux mains invisibles lui encerclaient la trachée. Elle ne cherchait même plus à cacher son trouble. Elle ne souhaitait qu'une seule chose : en finir au plus vite et sortir vomir la mélasse qui incendiait son estomac.

— Que... que voulez-vous dire par « rédemption » ? parvint-elle à articuler.

Simon Duggan sembla prendre vie. Il lui sourit, le même sourire qu'il avait affiché le jour de son arrestation. Pas narquois, pas défiant, pas criminel. Une véritable expression de soulagement, celle offerte par un élève découvrant la solution à un problème insoluble.

— Tu vas retrouver les enfants, déclara Duggan en se penchant au-dessus de la table, tu vas libérer ceux qui peuvent l'être, mais pas les autres. Tu vas me sauver aussi. Et s'il te reste des forces, tu te sauveras également. *Ré-dem-ption*.

Puis il se rassit normalement au fond de sa chaise en observant ses chaussures. Sarah resta silencieuse. Trop longtemps pour ne pas trahir son trouble. Pour l'instant, le prisonnier n'avait lancé aucune réponse susceptible de le confondre. Uniquement des phrases évasives, énigmatiques et irrecevables auprès d'un jury.

— Je ne comprends pas... dites-nous juste...

— 1, 2, 3, 4, 5, 6, 7...

Le mouvement fut rapide. Duggan venait de se redresser, comme en proie à une panique soudaine. Sarah savait très bien que la chaîne qui entourait ses poignets le reliait également à la table, et que la distance offerte par ses liens ne lui permettrait en aucun cas de l'atteindre. Mais quand même... elle imagina ce qu'avait dû être la frayeur des enfants face à ce géant.

— Pardon ? lança-t-elle en se levant à son tour, légèrement chancelante, paume droite posée sur son arme.

— 1, 2, 3, 4, 5, 6, 7..., récita Simon d'une voix forte et déterminée. Sept enfants coururent pour échapper au Géant de brume. Ils coururent là où les herbes poussent, mais ne furent pas assez rapides. Tour à tour, leurs gorges craquèrent et plièrent sous les mains épaisses. Aucun d'entre eux ne survécut. 1, 2, 3, 4, 5, 6, 7... Mais où sont le huitième et le neuvième ?

— Qu'est-ce que...

— Trouve le huitième et le neuvième enfant. Et la brume se dissipera.

10

Février 2000

Les quatre corps furent retrouvés dans quatre lieux différents, à quatre dates différentes.

L'apocalypse s'abattit alors que les impies dansaient autour du feu du millénaire à venir. Les enfants disparurent en promenade, en allant chercher le journal pour un père qui regardait la télévision et ne se souvenait plus des dangers du siècle finissant. À vrai dire, qu'importaient les situations. Seuls comptaient le silence dans leurs chambres, leur place vide au moment du petit déjeuner ou les vêtements qu'ils ne porteraient plus jamais.

Deux filles, deux garçons, de dix à douze ans. Tous retrouvés en l'espace d'une semaine.

Les familles découvrirent sur les tables d'autopsie de pâles copies de leurs enfants :

Mon fils n'a jamais eu une langue si gonflée.

Ma fille n'a jamais arboré cette frayeur sur son visage.

Mon bébé ne ressemble pas à ce cadavre, il doit y avoir une erreur, il souriait tout le temps et...

Stan observa les anges qui tombaient du ciel sans pouvoir interrompre leur chute. Il observa également sa propre déchéance sans vouloir l'amortir.

Il regarda le ciel et maudit la terre. Par son incapacité à trouver des réponses et à intercepter le meurtrier, il devint coupable. Par sa paternité, il devint victime puisqu'il ressentait au plus profond de son âme la souffrance des parents. Sa position était un terrain fertile pour la folie, le suicide ou le dépérissement.

Un choix compliqué.

L'affaire eut une résonance nationale. Détroit était la ville où les enfants mouraient en silence. Les informations sur le sujet se multipliaient. Les familles furent invitées sur les chaînes du câble, à la radio, en *dolby surround*. Les murs du douzième district se parèrent de sept visages christiques devant lesquels les membres de la section spéciale étaient prêts à s'agenouiller pour demander pardon.

L'inspecteur Stan Mitchell devint une ombre parmi les vivants. Ses nuits se peuplèrent de cauchemars sur fond de rires d'enfants. Le psy lui dit qu'il avait trop « personnifié ». Cette formule le mit hors de lui et le poussa un peu plus dans la décrépitude. Le FBI se saisit de l'affaire. Comme un ultime affront, Stan fut entendu et jugé inapte à gérer le stress que requérait une enquête d'une telle ampleur. Il récupéra son ancien bureau d'où, à travers une vitre, il avait vue sur le mur aux visages, et sur les agents du FBI qu'il regarda se confronter à leur tour au silence des enfants morts.

Car aucun ne trouva la solution.

Personne ne réussit à mettre une identité ou une empreinte ADN sur l'assassin. Un nouveau surnom lui avait été donné par la presse : le « Géant de brume ». Ce sobriquet provenait d'un appel anonyme. Une femme prétendait avoir vu l'assassin peu avant que Gwen ne fût découverte sur le chantier du casino. Elle disait avoir aperçu une silhouette massive porter un paquet sur son épaule. L'inconnue cita même la légende que son père lui racontait lorsqu'elle était enfant, celle du Géant de brume. Évidemment, cette déclaration provenant d'une cabine publique filtra jusque dans les salles de rédaction. Le lendemain, les journaux reprenaient le terme vendeur que le seul témoin potentiel venait de leur livrer, lui collant des accroches telles que « Quand la légende devient réalité » ou « Du rêve au cauchemar ».

Ce signalement n'aida guère le FBI.

Le Géant de brume resta enfermé dans sa légende.

Stan ne put se rendre à aucun enterrement. Les familles ne souhaitaient pas la présence de celui qui symbolisait si bien, avec son regard bas et désolé, la mort de leurs enfants et la déchéance de la ville. Les petits cercueils furent ensevelis les uns après les autres. Les parents ouvrirent les yeux à la fois pour pleurer et pour vérifier qu'il s'agissait bien là de la réalité et non pas d'un cauchemar dans lequel les forces de l'ordre étaient incapables de sauver leurs enfants. Ils virent la terre recouvrir les erreurs et les mauvaises décisions.

Ils posèrent une fleur en guise d'adieu à une possible justice. Ils abandonnèrent les corps à la nuit et à une légende. À peine les grilles du cimetière passées, certains d'entre eux souhaitèrent retourner s'allonger à leurs côtés, contre la terre fraîchement retournée.

L'inspecteur attendit.

Il attendit le crépuscule et que la foule endeuillée eût disparu pour se rendre devant les tombes. Stan murmura alors des promesses à des enfants qui ne pouvaient plus entendre.

Les mois s'écoulèrent, impassibles, et, finalement, les années. Le tueur semblait s'être lassé d'un jeu si facile.

À leur tour, les agents fédéraux quittèrent les lieux, fermèrent les dossiers, et laissèrent les visages accrochés sur le mur, juste au cas où.

Sept enfants avaient été tués en l'espace de seize mois.

Aucun suspect.

La plus grande faillite de la police de Détroit.

Les têtes tombèrent : le maire, d'abord, qui face à ce naufrage décida de ne pas se représenter, le chef du douzième district ensuite, qui dut démissionner, et Stan que l'on muta dans un service subalterne.

Puis le vent murmura à Détroit que le pire était derrière elle.

Le casino ouvrit ses portes avec trompettes et tambours. Le maire serra chaleureusement la main du principal propriétaire et investisseur, Andréa Pulson. Des tenues dorées furent distribuées aux hôtesses. Des invitations *all-inclusive* furent envoyées aux plus gros joueurs du pays et des jets privés affrétés en quantité. La ville devint la deuxième destination, après Las Vegas, des drogués de la roulette.

Détroit se relevait.

Dans l'esprit des hommes d'affaires, les maisons abandonnées ne seraient bientôt qu'un lointain souvenir. Les financiers rachetèrent ces pavillons dans l'idée de les revendre avec des crédits à taux réduit. Le casino serait la lumière qui attirerait les insectes. Les banques allaient nourrir leur rêve de propriété et les installer tout près.

La suite « Gwen » fut assaillie et réservée des mois à l'avance. Le prénom fut souillé autant que les draps. Il fut violenté, champagnisé, cocaïné, réaménagé, redécoré et finalement rebaptisé.

Détroit oubliait.

Elle n'entendait plus les comptines et légendes du passé.

L'enfant pleura.

En silence.

Juste avant que l'épuisement ne vienne dévorer son esprit, ses lèvres laissèrent échapper une phrase dénuée de sens apparent, mais qui pourtant sonnait comme une vérité intangible :

« Va où les herbes poussent… »

SARAH

« Chaque nuit, lorsque la lune voilée par les nuages n'éclairait qu'à moitié et que la brume humide léchait les maisons, il venait enlever les enfants qu'on ne revoyait jamais. »

Contes et légendes du Moyen Âge.
Auteur inconnu.

11

Vendredi 8 mars 2013

— Sarah Berkhamp ?

Sarah leva les yeux de son magazine et découvrit la silhouette vêtue d'une blouse blanche qui la surplombait. Elle le trouva moche, ce médecin : un long corps surmonté d'un long cou surmonté d'une longue tête… reptilienne. Comme un lézard-humain, extraterrestre improbable échappé d'un film de série B. Derrière des lunettes épaisses se mouvaient de manière chaotique deux globes ophidiens qui finirent d'imprégner l'expression dans le cerveau de Sarah : *moche*.

C'était irrémédiable.

Ce jugement gratuit teinta ses joues d'une rougeur honteuse.

— Oui, docteur ?

— Veuillez me suivre s'il vous plaît.

Elle l'accompagna à travers un couloir blanc et aseptisé. Il ne disait mot et Sarah eut un instant peur d'avoir pensé à voix haute. C'était la première fois qu'elle voyait cet homme. Le précédent spécialiste en fécondation venait de rendre l'âme à la suite d'un arrêt cardiaque tandis qu'il couchait avec une femme qui n'était pas la sienne. *Un peu trop professionnel, le gars !* s'était dit Sarah en découvrant la nouvelle dans les médias. Maintenant elle suivait ce nouveau médecin et elle craignait d'avoir tout à réexpliquer, de perdre un temps précieux alors qu'elle ne l'avait plus, le temps. Trente-six ans : son horloge biologique l'entraînait vers l'abîme abject de la non-maternité.

Le bureau. Ambiance feutrée. Décor sobre. Quelques posters de parents aux sourires béats tenant un enfant dans leurs bras. Comme si les images pouvaient influer sur la nature et son bon déroulement.

Le spécialiste, qui se présenta sous le nom de docteur Puscali, s'assit derrière son bureau et invita Sarah à s'installer de l'autre côté. Il ouvrit un dossier, le seul présent devant lui, et se racla la gorge, ce qui était rarement de bon augure de la part d'un médecin.

— Comme vous l'avez appris, la personne qui s'occupait de vous est… (nouveau raclement de gorge) décédée. Ainsi je vais prendre en charge votre cas. Fort heureusement, le dossier était bien avancé, nous ne perdrons pas de minutes inutiles.

— C'est une bonne nouvelle, souffla Sarah.

— Depuis combien de temps essayez-vous d'avoir un enfant avec votre concubin ?

— Trois ans.

— Je constate que vous avez passé tous les examens nécessaires : spermogramme, bilan hormonal pour monsieur, examen clinique, gynécologique, bilan de la fonction ovarienne pour vous.

— C'est exact. Tous les tests se sont révélés positifs.

— Et c'est bien là le problème, mademoiselle Berkhamp : tout est bon.

— Alors pourquoi...

— Je ne peux vous diriger vers une solution de procréation médicalement assistée si rien ne cloche dans vos résultats, lui expliqua-t-il. Je vois également que dans le compte rendu psychologique notre spécialiste a mis en exergue une enfance difficile.

« Merdique », voulut rectifier Sarah. Mais elle était certaine que cette infime différence linguistique ne jouerait pas en sa faveur.

— Oui. Mais ça n'a rien à voir avec mon incapacité... Merde, *notre* incapacité à avoir un enfant !

— Peut-être que non, mais après l'étude de votre dossier il se peut que le problème vienne justement de là.

— Comment ça, je... je ne comprends pas.

— « Infertilité psychologique », lâcha le *puscalisorus* en se raclant de nouveau la gorge en un son bestial. *Que peut-il y avoir d'enfermé dans cette cavité encombrée ? Les espérances mal dégluties de patientes attristées ?* se demanda Sarah en essayant de se maîtriser.

— Vous n'êtes pas sérieux !?

— Ce n'est pas fréquent, mais ça existe. Et vous avez le profil type.

Sarah pensa immédiatement et naturellement aux voix. Étaient-ce elles qui, en plus de maltraiter son esprit, de la réveiller en pleine nuit et la distraire en plein jour, s'attaquaient à son corps ? Pourtant elles s'étaient tues. Quand Stéphane était arrivé dans sa vie, les voix étaient devenues distantes, presque inaudibles. Juste des murmures de fantômes égarés... Pouvaient-elles bloquer une grossesse ?

Idiote, pesta Sarah. *Ce ne sont que des chuchotements... et peut-être simplement mon imagination comme le prétend Stéphane quand il m'observe d'un regard inquiet, comme s'il n'était pas persuadé de ce qu'il affirme.* La jeune femme eut peur d'avoir parlé au lieu de penser, mais l'attitude du médecin la rassura.

Il la fixait.

Immobile.

Déjà empaillé.

Attendant une réaction.

Merde... quels étaient ses derniers mots ?... Ah oui... Profil type...

— Alors que dois-je faire ?

— Vous allez continuer vos efforts, en couple, et vous rendre chaque semaine chez un psychologue spécialisé qui travaille avec nous et vous aidera à... décoincer ce qui coince, conseilla Puscali.

— Combien de temps ?

— Comment ?

— Pendant combien de temps devrai-je me rendre chez ce psy ?

— Le traitement est variable selon la personne et son passif, mais... disons une vingtaine de séances, une par semaine...

— Presque six mois !

— Oui… pour commencer.

— Docteur, j'ai déjà trente-six ans et je…

— Oui, c'est inscrit dans votre dossier : trente-six ans et aucun problème physique. Vous y arriverez.

Le spécialiste l'accompagna jusqu'à la sortie de l'établissement et la gratifia d'un « bon courage ! » qui voulait plus signifier « débrouillez-vous maintenant, de mon côté et de celui de la médecine nous avons tout fait pour vous aider » qu'un véritable souhait bienveillant.

Elle le trouva encore plus moche que dans la salle d'attente. Alors qu'un faible rayon de soleil illuminait son visage diaphane, Sarah ne ressentit aucune gêne à le lui dire. Il la regarda comme s'il n'avait rien entendu et se retourna sans une réaction.

Sans doute avait-elle crié trop bas.

Elle rentra directement chez elle, dans son appartement détroitien, à présent trop grand et trop vide pour elle. Les marches qui la menèrent au troisième étage défilèrent sous les pas mécaniques d'un corps sans conscience de ses actes moteurs. Sarah pensait déjà à l'absence qui l'attendait une fois la porte franchie : ce docteur l'avait-il compris, tandis qu'elle parlait de son incapacité à *elle*, et non plus à *eux* ? Stéphane, son amoureux exilé d'une région ensoleillée du sud de la France, l'avait quittée quelques jours auparavant.

Avoir un enfant était son souhait à lui. Il lui en avait fait part dès le début de leur relation. « Oh… pas tout de suite… pas plusieurs… » s'était-il empressé d'ajouter face à la surprise de Sarah. Mais qu'importe, le message avait été transmis. Et progressivement, après quelques mois idylliques, la jeune femme s'était mise elle aussi à rêver d'une vie de famille. Alors, ils firent le nécessaire, se chamaillant au sujet du futur prénom, dressant la liste de ce que chacun voulait retrouver de l'autre à travers cet enfant, se partageant les rôles et les responsabilités qui arriveraient très bientôt. Mais rapidement leur désir insatisfait assombrit la lumière de leur relation. Des tests furent passés. D'abord pour lui, puis, face aux résultats, pour elle. L'incompréhension fit place à la désillusion. Stéphane se retrancha derrière un silence lourd de reproches. Il prit alors la décision que lui imposait son rêve de paternité. Trois ans de vie commune réduits à quelques mots balancés dans un e-mail alors qu'il se trouvait en déplacement dans une ville voisine et presque identique. Si ce n'était que là-bas, les maisons ne dépérissaient pas telles les mauvaises herbes ou les espérances d'amoureux meurtris :

Je ne reviendrai que pour prendre mes affaires. Je ne crois plus en nous.

Des balles en plein cœur n'auraient pas fait plus de dégâts.

Le kevlar de sa force mentale ne la protégea nullement. Le sang avait coulé à travers ses yeux durant de longues nuits. Son regard l'avait cherché, partout, apeuré de ne pas le trouver.

Puis le jour s'était levé. Moins lumineux que d'habitude.

Depuis, Sarah fuyait les lieux qu'ils avaient fréquentés, délaissait leurs amis, se forçait à le détester, lui, lui qui jadis rythmait ses levers, ses couchers et les palpitations de son cœur au milieu. Les marches de son salon devinrent son fauteuil préféré ; son canapé inconfortable se transforma en lit de substitution ; sa cuisine l'endroit parfait pour marcher en rond pendant des heures. L'essence des objets et des lieux, la *gestalt* de leur signification, tout devint flou et abstrait. *Lui* seul possédait le bon canal sur lequel régler sa vision de l'univers. Sans *lui* la perception de la vie était trem… blo… tante.

Continue de vivre. Essaie de l'oublier même si tu sens encore son parfum sur ta peau. Oublie la part de toi-même qui s'est envolée avec son départ.

Depuis, elle traînait sa douleur jusqu'au poste de police où ses collègues faisaient mine de ne rien remarquer : le soleil de Détroit ne brillait pas assez haut pour révéler l'ombre qu'elle était devenue.

Le chat noir se frotta contre ses jambes tandis qu'elle passait la porte. Il la suivit jusqu'à la cuisine, où il attendit, avec la patience malsaine de celui qui a tout compris, qu'elle lui versât un bol de lait. Sarah lui parla, le caressa. Sans doute n'avait-elle pas conscience de cela non plus.

Lenteur des gestes.

Goût âcre de la perte lorsqu'elle desserrait les lèvres pour prononcer une parole.

Nécessité de continuer malgré tout, de trouver de la

beauté où tout n'était que laideur, cruauté et manque de *lui*.

Après avoir pris une douche glacée, Sarah se contempla un instant devant son miroir… *Que j'aimerais être de l'autre côté, là où son absence ne serait qu'une illusion*… noua ses cheveux bruns en queue-de-cheval puis palpa son ventre sportif qui ne serait sans doute jamais rond. Elle observa son pubis qui ne servait donc plus à grand-chose, se tourna et remarqua quelques traces naissantes de cellulite sur la base inférieure de ses fesses. Elle avait beau mesurer un mètre quatre-vingts, à cet instant, face à elle-même, complètement nue, elle eut l'impression de n'être qu'une petite fille. Minuscule et fragile. Presque inutile.

Enfance difficile, connerie, pas d'enfance, orphelinat, familles d'accueil…

Sarah se décrocha de son reflet pour faire taire le lapin blanc qui lui intimait de la suivre, puis s'habilla en silence.

En se dirigeant vers la cuisine pour se préparer un thé, elle remarqua le signal lumineux de son téléphone. *Mon Dieu, il rappelle pour s'excuser, il revient…*

Ta gueule, idiote !

C'était le central. Elle devait s'y rendre dès que possible. Une histoire d'enfant.

— L'histoire de ma vie, prononça-t-elle en abandonnant la tasse pour saisir sa ceinture Sam Brown et son arme de service.

12

Vendredi 8 mars 2013

Stan observa la pile de dossiers posée sur son bureau. Apparemment le capitaine voulait l'occuper. Des expulsions ordonnées par les juges. Une dizaine, uniquement pour aujourd'hui. La ville avait imposé que ces expulsions soient opérées par la police elle-même. Les banques payaient les camions de déménagement et distribuaient un petit bonus aux forces de l'ordre sur place. L'important était de récupérer les maisons que les propriétaires ne pouvaient plus régler, et cela sans violence. Ce système permettait également aux policiers d'arrondir leurs fins de mois, manne d'autant plus appréciable que les responsables municipaux avaient depuis peu suspendu toutes primes aux forces de l'ordre et autres services publics.

Ces sentences s'étaient multipliées ces dernières années. Stan n'entendait rien en *subprimes*, prêts à risque, *mortgages*… il se contentait de fournir l'avis d'expulsion et de veiller à ce que tout se passe sans heurts. Puis il empochait son enveloppe et déposait l'argent sur le compte destiné à son fils qui poursuivait maintenant ses études à l'université.

Qu'importe que les maisons se vident de leurs occupants. Qu'importe que personne ne se présente pour les reprendre et qu'elles deviennent les vestiges de vies passées. Les mauvaises herbes prenaient possession des lieux. Elles s'immisçaient entre les marches en bois des perrons, elles s'invitaient avec opiniâtreté à l'intérieur même des murs. Beaucoup de familles espéraient revenir plus tard, une fois que leurs dettes auraient été remboursées. Elles cloisonnèrent les fenêtres de planches, mirent des verrous un peu plus solides, accrochèrent de fausses pancartes « vendu » pour éloigner les pilleurs de métaux. Mais rien n'empêcha la déréliction de Détroit : les rues et les quartiers devenaient *fantômes*. Les toitures de milliers d'habitations s'affaissèrent en silence tandis que le bitume des routes se fissurait de douleur.

La ville agonisait, car ses veines se vidaient de ses habitants. Les derniers chiffres officiels annonçaient plus de soixante-quinze mille maisons abandonnées, chiffre en constante expansion.

Comme une reine de cette décrépitude, l'ancienne gare Michigan Central Station les toisait de ses soixante-dix mètres de hauteur. Ses dix-huit étages ponctués de vitres cassées et tatoués de graffitis regardaient l'horizon sans jamais s'en approcher, les pieds solidement lestés des spectres du passé. À présent, son utilité principale se limitait à servir de décor postapocalyptique dans les tournages de films. Le marbre brisé de son hall, les colonnes doriques nervurées par l'érosion, ses grands vitraux atrophiés incarnaient cet aspect de fin du monde. Le luxe d'antan, à l'époque où Détroit figurait parmi les villes les plus fortunées du pays, se lisait à travers son squelette de pierre. En prêtant une oreille attentive, on pouvait entendre les milliers de passagers qui s'y croisaient au début du siècle, leurs pas pressés, leurs paroles feutrées qui résonnaient sous les voûtes de pierre, leurs murmures de contemplation face à un tel édifice…

Maintenant elle ressemblait à une prison délabrée avec ses hauts grillages de barbelés autour. Les radiateurs, la tuyauterie avaient depuis longtemps été pillés. Ces organes lui avaient été arrachés alors qu'elle était toujours vivante. Stan se demanda si les vieilles pierres souffraient. La gare avait-elle hurlé quand on lui avait enlevé ses ornements ? Les maisons pleuraient-elles en voyant leurs familles donner un tour de clef définitif avant de disparaître ? Les voitures abandonnées et brûlées par les adolescents se recroquevillaient-elles de douleur en agonisant sous les flammes ?

L'inspecteur aurait préféré une journée de travail au central, le cul posé tranquillement sur une chaise à essayer de se remettre d'une nuit peuplée d'insomnie et de visages d'enfants. Les médicaments prescrits par le toubib ne l'aidaient pas. Ils endormaient seulement une portion de son inconscient, pas la totalité de ses regrets et de sa douleur. Les pilules aplanissaient les vagues déchaînées de la surface sans s'occuper des courants mortifères de ses abysses.

Stan passa devant Michigan Central Station sans lui

adresser un regard. À elle seule, elle symbolisait la fin d'un certain rêve américain. Il continua de rouler vers l'ouest de la ville avec une unique idée en tête : se dépêcher d'exproprier les gens pour ensuite se relaxer dans le bar près de chez lui.

Garçon, un bourbon ! Et laisse la bouteille, je me servirai !

Il gara son véhicule, attendit le camion de déménagement, se munit de l'ordre d'expulsion correspondant et sortit. Les rixes étaient rares, mais pas surprenantes. Les familles ne quittaient jamais de manière joyeuse l'endroit où elles avaient projeté de vivre et de grandir.

Stan avait mis du temps à comprendre pourquoi les banquiers souriaient alors qu'ils expulsaient des familles. À ses yeux, cela représentait un manque à gagner évident pour les organismes de prêts. Mais un jour un employé lui expliqua clairement la stratégie : « Il y a quelques années, pour relancer l'économie, la Fed[1] a proposé aux banques un taux d'emprunt exceptionnel à 1 %. Celles-ci se sont ruées sur cette offre. Elles ont beaucoup emprunté et se sont retrouvées avec des sommes importantes à investir, sommes facilement amortissables puisque obtenues à taux record. Les banques ont alors à leur tour proposé des taux de crédits immobiliers très avantageux comparés à ce qui était pratiqué jusqu'ici. La réserve d'argent que leur avait fournie la Fed leur permettait de ratisser large,

---

1. Fed : créée en 1913, il s'agit en fait d'une banque centrale privée et non fédérale. C'est elle qui frappe la monnaie et l'injecte dans l'économie américaine.

c'est-à-dire les familles avec un pouvoir d'achat suffisant, on parle alors de *prime*, comme les familles plus démunies auxquelles elles accordaient un crédit spécial, le *subprime*. Parfois les créanciers ne demandaient aucune attestation de revenus ou apports. Ils offraient les yeux fermés la possibilité à quiconque de vivre *intra-muros*, dans ces quartiers pavillonnaires du centre-ville qu'ils regardaient auparavant de très loin.

« Attirées par ces possibilités, de nombreuses familles peu solvables ont contracté ces prêts. Gourmandes, les banques ont ensuite augmenté leurs taux d'intérêt, possibilité légale que les demandeurs, si heureux de pouvoir accéder à la propriété, n'avaient pas prise en considération ou pas vue inscrite en petits caractères sur leurs contrats.

« Bien sûr, les propriétaires eurent de plus en plus de difficultés à payer leur maison. Détroit n'était plus la ville riche en emplois des années 1950. Les grandes entreprises automobiles en difficulté durent licencier. Le prix de l'immobilier baissa, mais pas les taux d'intérêt. Ainsi les clients payaient un crédit qui ne correspondait plus à la valeur de leur maison. Logiquement, ils cessèrent de régler les traites et les saisies commencèrent, car les banques avaient bien plus intérêt à vendre les biens aux enchères, même à un prix inférieur, que de subir ces défauts de paiement. Le surnom de Motor City laissa ainsi place à celui de Shrinking City[1]. »

---

1. Motor City, ville de l'automobile, était l'un des surnoms de Détroit à l'époque de sa gloire. Shrinking City, « ville rétrécis-

Stan observa le ciel puis le sol qui arborait la même teinte grisâtre. Il se demanda combien de temps il restait avant que ce couvercle nuageux ne s'effondre et n'écrase la population comme des mouches à merde insignifiantes.

Pas longtemps, devina-t-il.

« Une môme a disparu depuis hier soir. Sans doute une fugue, mais il faut qu'un agent se déplace histoire de montrer qu'on ne se préoccupe pas seulement des expropriations. »

Sarah attendit que son chef ait terminé de parler pour intervenir. Hanz Craig possédait une silhouette longiligne et des traits creux, comme si son visage était aspiré de l'intérieur. Une faible pellicule de cheveux gris recouvrait son crâne, mais ses yeux profonds et sombres balayaient cette physionomie chétive pour la transformer en celle d'un homme à poigne, dont les colères résonnaient très souvent dans les couloirs du central.

Le capitaine connaissait son père, ils étaient coéquipiers. Et amis. Il l'avait vu mourir ce soir-là. Il l'avait tenu dans ses bras en essayant de plaquer correctement sa main contre la plaie béante qui encerclait sa gorge. Sans doute lui avait-il murmuré des paroles réconfortantes alors que son rythme cardiaque diminuait dan-

---

sant », est dû à l'exode de la population en dehors du centre-ville qu'ont engendré les saisies immobilières.

gereusement. L'assassin, quant à lui, courait encore. Craig se promit de le retrouver, tout comme il promit à son ancien coéquipier de veiller sur sa fille. Quand, à la suite du fiasco de l'enquête sur le Géant de brume, il fut nommé responsable du douzième district, Hanz Craig poussa quelques portes afin d'aider la carrière de Sarah. Il le fit discrètement, lui permit de se former à Cleveland sans qu'à aucun moment elle se doute de son intervention. Ce fut lui aussi qui la fit revenir à Détroit. Selon lui, elle était désormais assez armée pour marcher sur les pas de son père.

Sarah ne comprenait pas pourquoi on lui confiait cette mission, elle dont les chances d'avoir un enfant venaient d'être réduites à néant par un connard de Français et par un médecin particulièrement moche. Ne pouvait-on pas l'éloigner de tout rapport à l'enfance durant les cinquante prochaines années ?

— Il n'y a pas un service spécialisé pour ce genre d'affaires ? protesta-t-elle.

— Il y a eu. Mais plus maintenant, et cela grâce à l'état des finances de la ville qui a coupé de quarante pour cent le budget de la police. Je ne t'apprends rien, tu as dû comme nous tous renoncer à tes primes.

— Oui, mais…

— Écoute, c'est important de montrer que nous sommes toujours là. La population compte sur nous.

— Bien chef, se résigna-t-elle. L'adresse ?

Neuf années qu'elle travaillait dans le douzième district et c'était la première fois qu'on lui demandait de s'écarter des vols et homicides, son cadre de compétence habituel, pour s'occuper d'une probable fugue. Quelle serait la prochaine étape ? Prendre en charge les contraventions impayées ?

Sarah pesta lorsqu'elle démarra pour se rendre sur les lieux. Fin de matinée et déjà plus grand-monde dans les rues. La ville ressemblait de plus en plus à un endroit déserté pour cause de couvre-feu ou d'explosion nucléaire. Comme le poste de police, d'ailleurs. Jadis s'y croisaient une trentaine d'agents, à présent à peine une douzaine. Sarah tourna au carrefour de Seven Mile Road et de Kingston Road, roula quelques minutes encore vers le nord, s'attendant à voir coyotes et boules d'amarante traverser la chaussée. Elle recueillit la déposition de la mère, manifestement dépassée par les six enfants qui hurlaient à l'intérieur du pavillon en voie de délabrement. Cheveux gras, ongles jaunis par la nicotine, traces de piqûres sur les avant-bras, dents noircies et brisées par la mastication d'une vie avariée. Sarah promit de faire le maximum, bien qu'elle n'eût aucune idée de la suite de la procédure, il aurait fallu un crime pour cela. Elle ne connaissait des disparitions que ce que l'on apprenait à l'école de police sur le sujet. Elle se rappelait, même si cette période lui semblait très lointaine, que la ville avait subi des enlèvements d'enfants dans les années 1990. Mais il y avait eu des corps retrouvés.

Là, non.

« Une fugue ? »

La mère avait répondu de manière sibylline, écartant les mains et haussant les épaules : « Possible, vous savez, les gosses… »

Non, Sarah ne « savait » pas. Aussi se contenta-t-elle de griffonner « *fugue probable selon la mère* » sur le rapport avant de se tourner vers un monde meilleur. En ouvrant la portière de sa voiture, elle observa quelques instants les maisons alentour : souvent, dans les cas de disparition d'enfant, les coupables sont de proches voisins. Seulement ici pas une n'était occupée. Elle était la dernière habitation debout, les autres n'étant que des ruines penchées, vieilles dames résignées à bientôt toucher terre.

Après avoir tapé son rapport, Sarah eut envie de se rendre dans la première boutique de pâtisseries pour acheter de quoi tenir la soirée. Elle avait déjà repéré sur le câble la diffusion d'un drame romantique sur lequel pleurer toutes les larmes de son corps et de son esprit fatigué. Cela, conjugué à ces desserts français, constituerait la dernière phase de sa cure amoureuse. « Une fois ces mignardises avalées, je ne penserai plus jamais à lui, plus jamais ! Tous ces instantanés de vie épinglés dans ma mémoire, tous nos regards posés conjointement sur l'horizon, toutes ces danses sensuelles et stériles que nous pratiquions sous la couette… oubliés ! »

13

Samedi 9 mars 2013

Patrick Stevenson tenait fermement son fils par la main. Charlie venait de renverser son chocolat chaud, la table et le sol de la cafétéria en étaient couverts, sans parler de ses jambes. Son père l'avait grondé et le dirigeait maintenant, gêné face aux regards courroucés des employés, vers les toilettes afin d'essuyer les dégâts. « Ta mère va hurler ! Ce nouveau pantalon ! Tu ne pouvais donc pas faire un peu attention ! »

Le centre commercial grouillait de monde, comme tous les samedis. Situé en périphérie de la ville, coincé entre deux quartiers sensibles, le Wal-Mart offrait une grande variété de produits, une cafétéria, ainsi qu'un parking gratuit.

11 h 12.

Ils étaient en retard.

Ce soir, Patrick voulait fêter l'anniversaire de sa femme Carrie, trente-huit ans. Elle avait fait semblant de ne se douter de rien lorsqu'il lui avait annoncé qu'il prendrait un simple poulet rôti au supermarché. Seulement, Carrie le connaissait. Tous les ans, le rituel était le même : son mari lui préparait un véritable dîner, plaçait Charlie chez la baby-sitter, allumait bougies et musique, *So what !* de Miles Davis, qui leur rappelait leur rencontre, et ils faisaient l'amour comme jamais ils ne le faisaient le reste de l'année.

Patrick imbiba d'eau du papier-toilette et tenta d'essuyer les auréoles de chocolat imprégnant le pantalon blanc – *Bordel, quelle idée ! Un pantalon blanc !* Sous le frottement, le papier de mauvaise qualité se désagrégea en oripeaux inutiles, ce qui irrita un peu plus Patrick.

Deux options se présentaient à lui : retourner à la maison pour changer son fils, au risque de tomber sur Carrie, qui non seulement hurlerait en voyant les dégâts, mais en plus se douterait de la surprise en cours, ou alors se rendre ainsi au centre commercial et faire fi des regards en biais des quidams. Il opta pour une solution intermédiaire : il allait acheter un pantalon pour son fils. Puis il le changerait et ils iraient faire les courses ensemble, comme convenu, sans que l'enfant ait à se sentir coupable de sa tenue. Oui, cette solution-là était parfaite. Ils allaient passer un merveilleux moment. « Oui », se dit Patrick en souriant face aux petites boules de papier humides collées sur le pantalon de son fils, qui lui n'osait plus la moindre parole, même si le liquide au départ brûlant lui glaçait à présent les jambes. « Nous allons passer une bonne journée. »

Cinq minutes plus tard, ils choisissaient un pantalon (*Un blanc ? Non merci !*) dans une boutique discount.

Charlie souriait à son père. L'enfant avait tellement eu peur qu'il annule leur balade. Ils errèrent ensuite dans les rayons du magasin, en quête du bonheur mercantile.

Patrick opta pour du vin français. Il devinait les reproches que lui ferait Carrie en découvrant la bouteille, mais les ignora. D'accord, la situation était compliquée, il venait de perdre son emploi et la banque les menaçait d'expulsion. Alors quoi ? S'arrêter de vivre ? Baisser la tête de peur de croiser les regards ? Agir comme les voisins ? Se résigner et perdre toute notion de plaisir, au point de ne plus fêter les anniversaires ni d'acheter un pantalon à son fils lorsque la situation l'exigeait ? Carrie n'était pas une pure Détroitienne. Elle ne comprenait pas la ville comme lui. Il savait qu'elle lui donnerait une seconde chance, qu'il ne servait à rien de se priver, car les possibilités et les opportunités fleurissaient dans les rues de Détroit. La ville souriait aux ambitieux et à ceux qui gardaient confiance en elle.

Comme par mimétisme, Charlie s'approcha à ce moment de son père en lui présentant une figurine de super-héros. Il en possédait déjà plusieurs, mais par un mystère insondable celle-ci avait échappé à sa collection. Patrick l'autorisa à la prendre. Il lut la joie dans le regard de son fils et se promit de ne jamais briser cette innocence. *Dès lundi, je rechercherai un emploi, je me rendrai à la banque, leur expliquerai et, avant la fin du mois, les choses rentreront dans l'ordre.*

Charlie déballa sa figurine avant même d'atteindre la caisse et s'amusa avec pendant que Patrick réunissait le nécessaire à la fête de ce soir. Dix minutes plus tard, alors que son père déposait le contenu de son sac sur le tapis roulant, Charlie éprouva une envie pressante. Dans la crainte de voir le nouveau pantalon devenir humide à son tour, son père l'autorisa à se rendre aux toilettes situées à quelques mètres. L'enfant ne se fit pas prier et se rua vers les WC.

Alors qu'il l'attendait devant la porte, Patrick en profita pour récapituler le programme : une fois rentré, il s'occuperait des devoirs de son fils. Ensuite, il le laisserait regarder des dessins animés le temps qu'il prépare ses affaires (ne pas oublier Mister Doudou), le doucherait puis le déposerait chez la baby-sitter. Il lui resterait alors deux heures avant que sa femme ne revienne.

Cinq minutes.

En arrivant, il s'arrêterait chez le fleuriste et récupérerait le bouquet de roses qu'il avait commandé dans la matinée. Puis il s'habillerait et la soirée commencerait lorsque Carrie rentrerait et découvrirait l'appartement plongé dans l'obscurité, scintillant des lumières des bougies.

Sept minutes.

La petite commission s'est transformée en grande, pensa-t-il.

Les fleurs, les bougies, le vin français... Carrie froncerait les sourcils, parlerait de découvert bancaire et d'autres sujets qu'il ne voudrait pas aborder. Mais il saurait la convaincre et la rassurer. Elle se laisserait amadouer et ils passeraient une excellente soirée...

Dix minutes.

Patrick s'impatienta. Il laissa le Caddie près de la porte et pénétra dans les toilettes publiques.

L'endroit lui sembla vide et silencieux. Ce n'était pourtant pas possible. Son fils y était entré dix minutes plus tôt.

Il appela d'une voix tout d'abord légère et tapota aux cloisons de la dizaine de cabines alignées. Le silence se fit de plus en plus improbable. *Charlie, pourquoi ne réponds-tu pas ?*

Seul le goutte-à-goutte continu provenant d'une chasse d'eau mal réglée résonnait contre le carrelage.

Les images prometteuses de la soirée s'évaporèrent brutalement. Son visage se ferma, ses gestes devinrent appuyés, pressés, effrayés. « Charlie ? » cria-t-il, ne se souciant plus de déranger quiconque.

Il restait deux cabines.

Patrick repoussa les battants en refusant la vérité qui approchait violemment.

Ce n'est qu'arrivé à la dernière porte, et en découvrant la figurine abandonnée sur le sol, qu'il se mit à hurler le prénom de son fils disparu.

14

Stan rentra chez lui après quelques verres. Il avait passé, une fois de plus, la majeure partie de sa journée dehors, à enchaîner les noms sur une liste de familles à jamais insolvables. Voilà à quoi ressemblait son travail de policier à présent. Son chef l'encourageait à accomplir la tâche déléguée par la mairie. Il comprenait le besoin financier. Mais Stan savait également que c'était la meilleure manière qu'avait trouvée son supérieur pour ne plus l'entendre ressasser d'anciens événements. Il en avait par-dessus la tête que l'inspecteur Mitchell le poursuive en lui demandant de rouvrir le dossier des enfants assassinés. L'affaire était close. Pour lui. Pour le nouveau maire. Pour la ville qui se voyait rétrécir dangereusement. Pour les parents, las de souffrir, qui luttaient quotidiennement pour arriver à boucler les fins de mois et tenter d'éduquer les enfants restants.

Son appartement offrait une vue panoramique sur le centre-ville. Au loin, les gratte-ciel du Renaissance

Center s'étiraient au-dessus de la rivière Détroit, cherchant dans l'eau trouble le reflet de leur gloire passée. Les bâtiments orgueilleux construits pour symboliser la toute-puissance de l'industrie automobile éclairaient le cœur de la cité. Leurs lumières teintaient d'un bleu métallique la blancheur spectrale de la neige qui tombait en flocons légers. Ce jaillissement lumineux contrastait avec les quartiers plus éloignés, ceux où le nombre de maisons abandonnées grossissait. Des rues où la mairie coupait l'éclairage public afin d'épargner de précieux dollars.

L'obscurité se rapproche dangereusement de la lumière, songea-t-il en ouvrant une bière, jugeant que son quota n'avait pas encore été atteint. Il s'affala dans un fauteuil, essayant de se rappeler la date des prochaines vacances. Il eut envie de téléphoner à son ex-femme pour la lui demander, mais il devinait sa réaction et les reproches qui suivraient. *Autant s'éviter cela*, pensa-t-il en allumant la télévision. Un reportage montrait un piquet de grève. Stan reconnut l'hôpital de Détroit. Des infirmières brandissaient des panneaux où l'on pouvait lire *Soins gratuits pour TOUTES les nouvelles mamans !* Il laissa les images défiler sans y prêter plus attention. Cela faisait des années que le monde extérieur ne l'intéressait plus. Le bourdonnement du téléviseur couplé à l'alcool le plongea dans une léthargie apathique. Il s'y abandonna volontiers, desserra sa cravate, laissa retomber ses bras le long du fauteuil et ferma les yeux un instant, juste un instant…

Des souvenirs affluèrent dans son cerveau. Des visages tournés vers le ciel. Des visages innocents qu'il n'avait pas su préserver. Sept enfants à la gorge gonflée par des étreintes mortelles et fixant le ciel de Détroit pour l'éternité.

Ses paupières se rouvrirent. Son cerveau chassa les fantômes. Stan balaya d'une lampée de bière les échecs du passé. Encore aujourd'hui il en payait le prix, car sa carrière avait périclité à la suite du fiasco de l'enquête sur le Géant de brume. Ses collègues ne lui jetèrent nullement la pierre. Cependant, leurs regards dénonçaient un retranchement amer, une déception coupable. Il sentait leur poids dans son dos. Les messages subliminaux qui en découlaient lui brûlaient les tympans. « On a foiré, tu étais notre responsable, avons-nous suivi les bonnes pistes ? Et si tu étais resté à Washington, si tu avais gardé ta violence là-bas, la violence ici aurait-elle été apaisée ? »

À ces voix se mêlait celle de son ex-femme. « Monsieur le juge, voyez l'hématome sur mon visage, il était ivre, fatigué, en colère, *dangereux.* »

Puis celle du représentant de la justice : « Garde de l'enfant *restrictive*, vacances scolaires, accompagnement psychologique professionnel *et* personnel. »

De nombreuses années s'étaient écoulées depuis. Sa violence, les remords et les reproches s'étaient atténués. Le bleu avait disparu du visage de son ex-femme. Les souvenirs de cette nuit-là, eux, étaient restés.

Ferme les yeux de nouveau.

Replonge dans les eaux boueuses de ton existence : Juin 1990.

Stan est sur la piste d'un violeur.

Des semaines à essayer de le localiser. Des semaines loin de sa femme, des semaines à pister une ombre dans les rues richement éclairées de Washington. Pour tenir le coup, il enchaîne Xanax et gorgées de vodka. Ses yeux deviennent flamboyants. Il voit dans la nuit grâce à cette nyctalopie artificielle. Le violeur fait un faux pas, il utilise une carte de crédit appartenant à l'une de ses récentes victimes. Les alarmes professionnelles, corporelles et psychologiques de Stan se mettent en branle. Il fonce à tombeau ouvert à travers les ruelles phosphorescentes, repère le violeur, là, à un distributeur ATM, ici, maintenant. Sa main tremble lorsqu'il saisit son arme et met en joue après la première sommation. L'agresseur d'adolescentes le regarde. Il scrute son âme et y perçoit la fébrilité imposée par l'alcool, la fatigue et la colère. Il comprend qu'il doit saisir sa chance. Le coup part, rate sa cible et sectionne l'artère fémorale d'un quidam présent sur les lieux. Le violeur pique un sprint à travers le public ébahi. Les alarmes de Stan sonnent une tout autre musique.

Retour au central. Explications. Sang sur les mains après avoir tenté de réanimer le passant devenu cadavre. Tremblement dû au manque. Mise à pied de quarante-huit heures, le temps de tirer tout cela au clair. « Rentrez chez vous et profitez-en pour vous ressaisir. »

Ensuite… ensuite ses nerfs craquent.

Home sweet home.

Reproches. Engueulade. Portes qui claquent. Injures. Insultes.

« Pourquoi rentres-tu si tard, ce n'est plus possible, te rends-tu compte du mal que tu nous fais, à Peter et à moi ? »

Incompréhension incontrôlable.

Perte des repères. Perte de soi-même. Perte de la notion de foyer. Perte de la notion de ligne rouge à ne pas franchir.

Deux gifles. Réelles. Agressives. Deux gifles assenées pour assassiner les reproches, la fatigue, le manque, l'univers entier.

Ensuite… Ensuite… Mutation direction Détroit – Destroy City.

Stan se rendit compte qu'il avait toujours son arme sur lui. Il se redressa et la détacha de son harnais puis la posa sur la table basse. Il la fixa un long moment. Elle lui parut dangereusement amicale. Depuis le Géant de brume, son chef ne lui accordait que des affaires sans importance. Plus rien en rapport avec des enfants. Comme s'il les avait tués lui-même.

Seulement, malgré cette implicite mise au placard, ses sens ne s'étaient pas émoussés. Plus tôt dans la matinée, dans les couloirs du poste de police, il avait eu vent de la disparition d'une fillette. Il avait fermé les yeux et serré les poings. Et prié pour qu'il ne s'agisse que d'une simple fugue.

Stan détourna le regard de son Glock pour le diriger vers le téléviseur. On y voyait un homme, manifestement en état de choc, répondre à une journaliste. Sur le bandeau au-dessous était inscrit *Disparition d'un enfant dans le centre commercial*. L'inspecteur augmenta le son et écouta Patrick Stevenson décrire les événements.

15

Dimanche 10 mars 2013

Le capitaine Craig se tenait devant Sarah, debout, le visage grave, arpentant son bureau de long en large. Son costume sombre semblait trop grand pour lui. La veste gisait sur le dossier du fauteuil, et son pantalon remontait jusqu'au-dessus du nombril. Une cravate unie pendait mollement beaucoup plus bas que les normes du bon goût le conseillaient, et sa chemise bâillait à l'encolure.

Oui, bien trop grand.

La jeune femme s'éclaircit la gorge pour rappeler sa présence. Craig continua ses va-et-vient quelques secondes avant de prendre la parole :

— Pourquoi a-t-il appelé les médias avant d'avertir la police ? demanda-t-il en s'asseyant lourdement.

— Je l'ignore, capitaine.

— Quel abruti !

Le portable de l'inspectrice avait sonné vers 2 heures du matin. Le mince espoir que Stéphane ait retrouvé subitement son numéro et sa passion amoureuse lui avait traversé l'esprit, mais une fois de plus elle fut déçue. Il s'agissait du capitaine qui la convoquait à un briefing à 8 heures précises. Elle en ignorait la raison exacte, et ne le sut qu'au moment où elle alluma la télévision en se préparant une tasse de thé. Les chaînes d'infos locales ne parlaient que de *ça*.

« Deux enfants disparus en deux jours ! » pesta Craig.

Il arrêta ses déambulations en se figeant derrière son bureau, mais ses doigts reprirent la cadence nerveuse que ses jambes venaient de délaisser, tapotant le faux bois verni sans discontinuer.

— Le premier cas est sans doute une fugue…, hasarda Sarah. J'ai vu la mère et, comme je l'ai inscrit dans le compte rendu, elle n'exclut pas cette possibilité.

— Le second, quant à lui, ne laisse pas de doutes, enchérit-il en écho. Nous avons cet imbécile qui l'explique sur toutes les chaînes d'informations continues. Vous êtes maintenant chargée de ces affaires.

Ses doigts se figèrent. Ils venaient de trouver la solution.

— Oh quoi… merde, chef, ce n'est pas mon domaine…

— Pardon, inspecteur ?

— Excusez-moi, je veux dire… il n'y a pas de corps, je bosse à la criminelle, et moi, les enfants…

— Au cas où vous l'auriez oublié, je sais quel est votre poste puisque je vous y ai nommée. Le service disparition et enlèvement a été dissous il y a quelques années à la suite d'événements que vous devez connaître malgré votre jeune âge. Si ma mémoire est bonne, c'était d'ailleurs l'année de votre entrée chez nous.

— C'est exact, capitaine, affirma doucement Sarah, consciente d'avoir dépassé les bornes.

— Le service violences domestiques aurait dû normalement récupérer les dossiers, mais, croyez-le ou non, il semble que la crise économique fasse remonter le taux d'engueulades et de coups de poing dans les foyers de nos chers concitoyens ! Phil et son équipe n'arrivent pas à suivre ! Et bien sûr, le maire refuse le recrutement d'un nouvel effectif, il prétend qu'il n'aurait pas d'argent pour le payer ! Ces politiques et leurs mensonges...

Un lourd silence s'installa. Le cerveau de Sarah était en ébullition. Ses dossiers en cours, qui s'en occuperait ? Pourquoi lui confiait-on ces disparitions d'enfants ? Pourquoi remuait-on devant elle ces poupées de chiffon que son corps refusait d'engendrer, ou plutôt son esprit, comme l'avait suggéré le docteur Puscali ? *Pourquoi moi ? Pourquoi... oh merde*, comprit la jeune femme.

— Pourquoi moi ? demanda-t-elle en fixant son supérieur.

— Je viens de vous expliquer...

— Non, chef. Il y a plein d'autres inspecteurs dans la maison. Il y a une raison pour que vous vouliez que je m'en charge et...

— Sarah..., souffla Craig, j'ai confiance en vous. Je vous connais depuis votre plus jeune âge. J'ai arpenté les rues avec votre père, de longues années. Je sais qui vous êtes et j'ai confiance en vous.

— Non, ça ne marche pas. Je sais pourquoi, chef : je n'ai pas d'enfants… C'est pour ça. Vous pensez que mon objectivité ne sera pas mise en danger, que je n'en ferai pas une affaire personnelle, je me trompe ? C'est ce qui avait été reproché à l'inspecteur qui était chargé des assassinats il y a dix ans, n'est-ce pas ? Je m'en souviens… Alors vous vous êtes dit : « Surtout ne commettons pas la même erreur ! Voyons qui, dans mon effectif, n'a pas d'enfants… Ah ! Oh ! Sarah Berkhamp ! Faites-la venir dans mon bureau pendant que je me masque d'une mine emmerdée ! »

— Vous avez le cynisme de votre père.

— Et vous le discours d'un politique.

— Inspecteur Berkhamp !

Les yeux du capitaine s'étaient figés de colère. Sarah pouvait y apercevoir les veinules d'une nuit difficile. Elle y devinait sa crainte qu'un nouveau Géant de brume n'assassine les enfants. Elle voyait son sang courir derrière les cornées, charriant une peur trop grande pour lui.

— Nous sommes le central du douzième district, reprit Craig en tentant de contrôler son énervement. Vous comprenez ce que cela signifie ? Le district des enfants *morts* et dont le meurtrier court toujours. Même s'il ne s'agit que de fugues, même si le gamin est en train de pisser dans les toilettes d'un hôtel parce que celles du centre commercial le dégoûtaient, il faut les retrouver. C'est un ordre. Rien à foutre de vos impressions, de vos voix… Les dossiers se trouvent

108

sur votre bureau. Maintenant, disparaissez avant que ma mémoire fatiguée n'oublie que vous êtes la fille de mon ancien partenaire.

Sarah ne prit pas la peine de fermer la porte. Elle quitta le bureau sans rien ajouter. Son esprit cherchait simplement à savoir comment le capitaine pouvait être au courant pour ses voix.

16

Jeudi 18 juillet 2013

Réunion de la CIPD
(Commission interne de la police de Détroit)
Présents :
Capitaine Hanz Craig
Représentant du bureau des affaires internes Daniel Phillips
Représentant du syndicat de police Salie Jefferson
Psychologue Mélanie B. Jouvers
Personnel convoqué :
Inspecteur Sarah Berkhamp

— Donc je vous cite, reprit le représentant du bureau des affaires internes. « Oui, c'est à ce moment-là que tout a vraiment merdé. » Pouvez-vous nous expliquer cette phrase ?

Sarah se leva pour faire face aux quatre personnes assises devant elle. Quelques mètres à peine les séparaient. Une table en bois avec un verre d'eau. Une sténotypiste à sa gauche qui tapait sur sa machine chaque fois que quelqu'un ouvrait la bouche. Et le pupitre derrière lequel se tenaient ses juges.

— C'est une impression... que j'ai ressentie...

— Une impression ?

— Oui.

L'inspectrice se sentait vulnérable. L'affaire du Géant de brume était un fiasco. Une fois de plus. Pourtant, ils avaient été tout près. Ils avaient perçu son ombre.

— Tandis que vous vous teniez sous le porche de la maison, à fumer une cigarette, et pendant que votre coéquipier rouait de coups l'auteur des enlèvements, vous nous dites avoir eu l'impression que tout... *merdait* ?

— C'est exact.

— Et cette impression, comment s'est-elle manifestée ?

Sarah comprenait où Daniel Phillips voulait l'emmener. Elle savait qu'elle devait passer par là pour se justifier.

— J'ai... eu une intime conviction.

— Mademoiselle Berkhamp, savez-vous ce qui s'est passé en 1998 ?

— Oui.

— Vous connaissez donc la légende du Géant de brume ?

— Oui.

— Vous êtes au courant du fiasco qu'a été l'enquête à cette époque ?

— Tout à fait.

— Vous avez donc pleine conscience de l'importance pour la police de Détroit de résoudre cette affaire, passée et présente ?

— J'en ai parfaitement conscience.

— À l'âge de seize ans, vous avez été suivie par une psychologue parce que vous prétendiez entendre des voix. Est-ce exact ?

Changement soudain de sujet afin de la déstabiliser. Technique classique, mais très souvent efficace. Sarah vit son capitaine baisser le regard. Les dossiers psychologiques de chaque recrue de la DPD demeuraient confidentiels. Seuls les supérieurs hiérarchiques et les médecins accrédités pouvaient les rouvrir.

— C'est exact, confirma-t-elle.

— Ces voix ont été diagnostiquées comme des hallucinations auditives, faisant partie de la schizophrénie. Sont-ce ces mêmes voix qui vous dictent vos impressions ?

— « Hallucinations auditives légères et passagères ne pouvant modifier ou altérer le comportement du sujet. » Voilà le diagnostic exact, rectifia Sarah.

— Un diagnostic vieux de plus de dix années.

— Et vérifié deux fois par an par le psychologue de la police, précisa le docteur B. Jouvers. L'inspecteur Berkhamp s'est rendue chaque fois aux entretiens nécessaires. Et le diagnostic s'est révélé identique.

— Donc sans amélioration.

— Donc sans aggravation, corrigea la psychologue, consciente d'avoir offert à Phillips une brèche importante.

— Très bien. Inspecteur Berkhamp, je ne suis pas ici pour vous incriminer. Votre chef m'a vanté votre travail. Vos états de service parlent en votre faveur. Je suis ici pour essayer de comprendre comment la situation a pu vous échapper à ce point.

Sarah sentit les larmes frapper à ses yeux. Elle aurait tant aimé que Stan soit avec elle. Il aurait su quoi dire. Il aurait trouvé *la* solution.

Au lieu de cela, il... Non. Arrête. N'y pense pas. Concentre-toi sur ta mission, les enfants. Les enfants.

— La vérité n'était qu'un voile de brume, murmura-t-elle.

— Je vous demande pardon ?

— La vérité n'était qu'un voile de brume, reprit Sarah à voix haute, sentant une boule se créer dans sa gorge.

— Est-ce une phrase soufflée par l'une de vos hallucinations auditives alors que vous étiez sous le porche ?

— Non. Ce n'était pas une hallucination. C'était une impression.

— Que vous disait-elle à la fin cette impression ? s'impatienta le représentant du bureau des affaires internes.

— Que nous faisions fausse route depuis le début.

17

Dimanche 10 mars 2013

Le vélo semble abandonné sur la chaussée. Le soleil se lève à peine et inonde la neige de crépitements lumineux. Le cadre métallique est froid de la nuit passée dehors. Autour les rues sont désertes. Le quartier a faim d'habitants, mais plus personne ne vient le nourrir. Les jardins ressemblent à des champs ancestraux, herbes hautes et jaunies, s'étirant vers le ciel comme pour s'en saisir.

Le cadre du vélo porte une plaque en laiton où sont gravées les coordonnées du propriétaire. *Damien. 183 Fairfield Street.* Suivies du numéro de téléphone.

Une main redresse le cadre métallique sur ses deux roues, l'observe, le repose sur le côté. Un portable sort d'une poche. Les yeux vont de la plaque en laiton au clavier. Les doigts d'ébène composent. La voix de l'adolescent s'éclaircit. Ce bicross rouge lui rappelle le sien. Celui qu'il chevauchait des heures durant, sur cette même route, lorsqu'il était enfant et qu'il habitait cette rue. Mais à présent plus personne ne vit ici.

À part les squatteurs. Et les drogués.

Et les souvenirs.

Le téléphone sonne dans le vide.

L'adolescent raccroche, abandonne le vélo et continue de marcher. Son ancienne maison n'est plus très loin maintenant. Il en devine la toiture. Elle se rapproche de lui en tenant sa tristesse dans la main. Elle lui dit : « Souviens-toi de nos fous rires. De nos jeux. De tes posters contre ma peau. Rappelle-toi comme j'étais le refuge de ton imagination, de tes rêves lorsque je te berçais dans mes bras. Je t'ai porté en mon sein de si longues années… je connais tes peurs et tes cauchemars. Je t'écoutais chanter, je t'entendais rire et pleurer, je te voyais grandir et je t'ai vu triste en me quittant. Mes murs t'ont protégé. Mon toit t'a couvé. Je ne t'oublierai jamais. »

Il se tient devant elle et l'observe. Les gouttières se sont affaissées sous le poids de la neige. Les vitres sont brisées, la porte enfoncée. Des tuiles ont chuté et se retrouvent dispersées en fragments bruns sur les marches de l'entrée.

Il s'avance un peu plus dans le jardin gelé lorsqu'une sonnerie le ramène dans le présent.

— Allô ?

— Vous… vous venez de téléphoner… dites-moi qu'il va bien, je vous en prie, dites-moi qu'il est en bonne santé…

La voix féminine lui semble à bout de nerfs. À bout de forces. À bout de supplications stériles.

— Je… j'ai retrouvé un vélo avec votre numéro dessus. Abandonné dans mon ancien quartier.

— Oh, mon Dieu… Où…

— 20013 Dean Avenue.

— Vous l'entendez ? Vous le voyez ? Appelez-le… il n'est peut-être pas loin… Hurlez son prénom… c'est… c'est Damien…

— Il n'y a personne, madame. Le vélo est gelé, il a dû rester ici toute la nuit.

— Je vous en supplie…

— Ma… madame… Il…

— Je vous en supplie, dites-moi qu'il est avec vous…

— Madame… il y a du sang…

— Quoi ?

— À côté du vélo… il y a du sang sur la neige.

L'inspectrice qui venait de quitter le bureau du capitaine Craig avait laissé la porte ouverte, et Stan en profita pour s'y faufiler. Il avait conscience de ressembler à une erreur : mal rasé, les cheveux hirsutes, les yeux rougis par une nuit à réfléchir et à ressortir d'anciens dossiers qu'il était censé ne pas avoir gardés. À sa grande surprise, son supérieur ne lui fit aucune remontrance au sujet de sa tenue. Il se contenta d'un « et maintenant quoi ? » avant de se rasseoir lourdement.

— Chef, il faut que vous m'écoutiez…, s'empressa-t-il de dire.

— J'ai déjà mis quelqu'un sur l'affaire. Inutile de…

— Il est revenu, capitaine… Deux disparitions en deux jours, exactement comme…

Craig le toisa durant d'interminables secondes. Le capitaine hésitait entre pleurer en maudissant l'existence de lui mettre des inspecteurs comme Berkhamp et Mitchell dans les pattes ou hurler pour exprimer son ras-le-bol. Naturellement, il opta pour la deuxième solution.

— Nom de Dieu ! quel est le problème avec vous ! Il doit s'agir de fugues, rien de plus !

— Mais capitaine, si c'est lui il…

— Foutaises ! Je ne devrais même pas avoir cette discussion avec vous, nous ne l'avons que trop eue ! Laissez le passé derrière vous et…

— Si c'est lui, il va recommencer, ce n'est que le début !

— Sortez de mon bureau avant que je vous colle un blâme ! Votre carrière n'a pas besoin de ça !

Stan encaissa le coup sans broncher. Il se contenta d'ajouter en se dirigeant vers la porte :

— Je n'ai rien pu faire, chef. Et, croyez-moi, j'aurais tant aimé les sauver. Je me lève chaque matin avec leurs rires disparus dans ma tête.

— Stan, laissez tomber, reprit plus calmement Hanz. Pas un policier du douzième district n'est sorti indemne de cette affaire. Pas un n'est rentré chez lui sans pleurer en silence. Mais c'est fini depuis longtemps. Il n'est pas de retour, Stan, ôtez-vous ça de l'esprit. L'inspectrice Berkhamp est sur le coup. D'ici à la fin de la journée, elle aura éclairci tout ça.

Stan s'éloigna le long du couloir en se répétant les dernières paroles échangées. Il ressentait à présent la blessure de l'insinuation. Personne n'avait eu besoin de ces malheurs. Ni les enfants, ni les parents, ni les habitants de Détroit, ni les policiers. Mais tout le monde avait été touché. Chacun avait senti sa gorge se serrer en découvrant dans la presse du matin qu'un nouveau gosse avait été étranglé. Stan avait tout tenté. Lui seul le savait. Il avait été l'unique témoin de ses nuits passées à cauchemarder, harcelé en rêve par les photos des enfants. Personne n'avait partagé ses doutes, sa peur de voir une autre victime à la une. Pas un policier ne s'était impliqué comme lui dans cette recherche obsessionnelle du Géant de brume. Et pas un agent ne souffrait autant de savoir que le coupable courait toujours.

Stan appuya sur le bouton d'appel de l'ascenseur. Il maudit Hanz Craig de lui avoir remémoré la fange dans laquelle sa carrière s'était enlisée. Il n'en avait pas besoin, il s'en rendait compte tous les jours. L'inspecteur pénétra dans l'ascenseur et vit soudainement une main surgir pour empêcher la fermeture complète des portes. C'était le capitaine. Celui-ci n'arborait plus le même visage colérique, mais une mine déconfite et grave.

Stan ressentit le frisson du drame à venir.

— Mitchell, pendant que l'inspectrice Berkhamp interroge le père du deuxième gamin, vous foncez directement vers Dean Avenue. On a un troisième enfant disparu.

18

Dimanche 10 mars 2013

Sarah étudiait les deux dossiers.

Les bandes-vidéo du centre commercial n'avaient pu être saisies. Elles n'existaient plus. Et pour cause, l'employé de la sécurité les avait vendues aux médias. Maintenant, les images tournaient sur Internet, des images publiques et non plus des pièces à conviction. L'agent du magasin, quant à lui, était aux abonnés absents. Sarah supposa une fuite direction le Canada ou le Québec, plus proche. Les nombreuses chaînes d'informations en continu luttaient pour obtenir l'exclusivité de tel ou tel drame. Et chacune payait très cher les informateurs. Bien plus qu'un mois de salaire dans un centre commercial minable de Détroit. Lancer une procédure de recherche et d'extradition coûterait de l'argent, du personnel et un temps précieux. Le chef refuserait.

Elle pesta contre sa malchance. Rester ici, dans son bureau, à attendre les résultats de relevés d'empreintes ou à étudier les bandes-vidéo des rues adjacentes qui, bien sûr, ne cadraient pas le bon angle… Sarah ferma les yeux, se concentra… rien. Silence total. Aucun murmure. Elle relut pour la énième fois la déposition du père. Prise une heure auparavant dans la maison des Stevenson, elle n'apportait rien de plus que ce qui tournait en boucle sur le câble. Patrick Stevenson avait balbutié des excuses pitoyables lorsque Sarah lui avait fait comprendre qu'il avait mis la vie de son enfant en péril en commençant par joindre les médias plutôt que la police. Lui avait rétorqué en regardant le sol que la police de cette ville n'avait pas la réputation de rechercher correctement ses enfants. Elle avait eu envie de lui crier que ce n'était pas à la ville d'en prendre soin, mais aux parents.

Le père avait fondu en larmes, réexpliquant que son fils se rendait juste aux toilettes, que si un seul instant il avait pensé que Charlie courait le moindre danger, il l'aurait accompagné.

Sarah soupira en visitant la maison. Des cartons emballés et posés à même le sol. Des placards presque vides. Une lettre dactylographiée aimantée sur la porte du réfrigérateur : avis d'expulsion pour impayé.

Fait chier.

— Où est votre femme ?

— Elle est serveuse dans un snack. C'était son anniversaire, hier soir. Son salaire est le seul qui rentre depuis mon licenciement. Il ne nous reste qu'un mois à vivre ici. Ensuite la maison sera saisie. Il faut que Charlie rentre avant qu'il ne sache plus où nous trouver.

Fait chier. Fait chier.

120

Sarah partit en claquant la porte un peu trop fort. De l'extérieur, elle pouvait encore entendre les sanglots du père. Elle remonta le col de sa veste, quitta l'allée enneigée pour se réfugier dans sa voiture. Silence. Une voix peut-être au loin. Un murmure. Sarah ferma les yeux et se concentra. Les mots étaient à peine audibles, mais elle les connaissait par cœur. L'inspectrice plissa les paupières jusqu'à ressentir la douleur dans ses tempes. Elle savait que les voix apparaissaient en période de stress, mais elle n'avait pas sur elle de pilules contre la migraine. Elle avait fini la boîte avec le dernier message de Stéphane.

19

Dimanche 10 mars 2013

Le Géant déposa le corps sur le sol. L'enfant était toujours inconscient et murmurait des phrases inintelligibles. Les mêmes mots, cependant, que ceux des autres s'échappaient de ses lèvres asséchées : *papa, maman… papa… maman…* Comme si toute leur existence se réduisait à ces deux entités. *Papa… maman…* L'unique réflexe face à la peur. Pas de cris, pas de fuite. Juste ces deux prières inutiles.

Il l'observa, silencieux, retranché dans l'obscurité. Les liens n'avaient pas besoin d'être solides. Le garçon était frêle, peut-être malade. Son front ruisselait de sueur, ses membres tremblaient de froid. De plus, personne ne pourrait l'entendre ici. Les maisons alentour avaient été vidées depuis longtemps de leurs substances de vie. Plus aucun habitant. Plus aucun témoin potentiel. La planque parfaite. Le Géant s'approcha de sa proie et la souleva avec une facilité déconcertante. Il ne pouvait le garder chez lui, il fallait qu'il l'installe avec les autres, là-bas, *où les hautes herbes poussent.*

Stan était accroupi dans la neige, le vélo face à lui. La police scientifique avait été prévenue, elle était en chemin. Le temps pressait : dans quelques heures, toutes les empreintes présentes autour du vélo auraient fondu avec la neige. L'inspecteur se pencha un peu plus en s'approchant des traces de sang : il ne s'agissait que de gouttes, pas d'un flux violent. Des éclaboussures passives, comme on disait dans le jargon, par opposition aux traces projetées. Rien de mortel. Juste à côté, la neige avait été tassée par un poids important. Sans doute le corps de l'enfant.

La première hypothèse était la suivante : le gamin roule à vélo, il tombe ici et sa chute est amortie par la neige. Cependant pas suffisamment et son crâne, son nez ou son arcade touche le bitume, ce qui entraîne le saignement. Quelqu'un passe en voiture, abandonne le vélo et l'emmène aux urgences.

La seconde hypothèse était la suivante : le gosse roule à vélo, quelqu'un le frappe à la tête, le ramasse. Tassement de la neige dû à la chute, saignement dû au coup reçu.

Stan se releva en ignorant ses genoux douloureux. Le porte-à-porte serait inutile dans cette rue. La plus proche des habitations occupées se situait à plus de six cents mètres, et les ouvertures ne donnaient pas dans cette direction. Il prit conscience qu'à part les quelques officiers présents, la scène était déserte. Il se souvint alors de la première victime du Géant de brume et de la foule épaisse qui s'était formée autour de Palmer Park. « Merde, souffla-t-il, cette ville n'a même plus assez d'habitants pour jouir de sa violence ! »

Les scientifiques arrivèrent rapidement : deux policiers descendirent du camion, vêtus de la combinaison réglementaire blanche en polypropylène. Les mains gantées, les pieds emballés dans des surcots et les visages cachés derrière des masques, ils s'approchèrent de la scène dans le silence de l'hiver. Stan les observa pulvériser le spray orange à base de propanol, de toluène et de propane dans le creux des empreintes afin de stabiliser la neige. Ensuite, l'un d'eux y versa la pâte à moulage. Pendant que le mélange prenait, ils relevèrent des échantillons de sang, apparemment satisfaits que les températures négatives l'aient conservé durant tout ce temps. Le vélo fut redressé et emporté avec soin dans le van pour un examen approfondi en chambre de fumigation au cyanoacrylate. En quelques minutes, le ballet surréaliste des silhouettes laiteuses fut terminé.

— Combien de jours pour les résultats ?

— Comptez-en au moins quatre. Nous sommes en effectif restreint depuis les coupes budgétaires.

— Merde.

— On fera de notre mieux, inspecteur, mais ne nous demandez pas de miracle !

Ils saluèrent Stan d'un geste de la main puis se retirèrent à l'arrière du véhicule pour enlever leurs combinaisons. L'inspecteur regarda le camion partir, fouetté par la fine neige qui tentait désespérément de s'accrocher à quelque chose.

— Chef, nous en avons terminé ici.

Les deux agents chargés de la surveillance sautillaient d'un pied à l'autre pour irriguer en sang leurs membres gelés.

— Vous pouvez débarrasser la scène. N'oubliez rien.

— Bien. Vous… avez encore besoin de nous ?

— Non. Rentrez au chaud. Je vais marcher un peu.

Stan attendit que tout le monde soit parti pour se placer au milieu de la route et descendre la rue. Ses pas s'enfonçaient dans la neige accumulée. Il releva le col de sa veste et fourra les mains dans ses poches. Sa respiration soufflait des nuages de condensation. Son cerveau soufflait des nuages d'incompréhension. *Où sont les corps ?* se demanda-t-il en passant devant la première maison abandonnée. *Ce n'est pas logique, tu laissais toujours les corps derrière toi. Est-ce le froid qui te l'interdit ? Est-ce le manque de public qui te pousse à déplacer le cadavre ? Dans ce cas, où le déposeras-tu, hein ? Et quand ? Est-ce vraiment toi ?*

Il dépassa plusieurs maisons. Vides. Grotesques avec leurs yeux vitreux aux verres brisés. L'adolescent qui avait découvert la scène avait été interrogé. Il ne promenait avec lui que sa mélancolie. Stan se demanda combien d'autres personnes étaient passées devant le vélo sans s'arrêter lorsque son portable vibra dans sa poche :

— Oui capitaine ?

— Ramenez votre cul par ici. On a un visuel.

20

Dimanche 10 mars 2013

Doug, le spécialiste en numérique, expliqua au capitaine, à Sarah et à Stan les difficultés rencontrées : système vidéo obsolète, objectif empoussiéré, pixellisation problématique…

— Tous les systèmes de surveillance de la ville sont dépassés ou hors service. Il a fallu que je copie l'image pour pouvoir la travailler sur ordinateur. La qualité n'a pas pu être améliorée, mais j'ai tout de même réussi à isoler une séquence de quelques secondes.

Doug se leva, éteignit les lumières de la salle de projection et déclencha la lecture via son ordinateur portable. L'écran s'éclaira, l'assistance se figea.

L'image était floue, mais suffisante : on y voyait un homme marcher à travers le parking du supermarché avec un enfant dans les bras. Le garçon portait les vêtements décrits par le père de Charlie. La corpulence concordait, ainsi que la couleur des cheveux. Quelques mètres puis l'inconnu se dirigea vers un van blanc.

Ouverture de la portière arrière. Des gestes pressés. Un regard furtif. Fermeture. Démarrage. Fin du film.

Le coupable était grand. Le coupable était massif. Le coupable était une probabilité que personne ne souhaitait murmurer.

Stan sentit des palpitations parcourir ses veines.

Sarah vit le passé dévorer les années.

Hanz Craig devina les soucis à venir.

La lumière fut rallumée.

— Cette vidéo provient de la bijouterie située en face du centre commercial. L'homme que vous voyez emmener l'enfant dans une camionnette blanche est notre priorité, déclara Craig.

Sarah et Stan se levèrent à leur tour. Sur leur visage, la même expression : la crainte d'échouer.

— La plaque ? questionna l'inspecteur.

— Pour l'instant, difficile d'en savoir plus, intervint Doug. Nous allons plancher sur la définition et tenter de zoomer. Mais je ne peux rien promettre.

— Beaucoup d'heures se sont écoulées depuis l'enlèvement, soupira Sarah.

— Tout à fait, inspecteur Berkhamp, acquiesça le capitaine. C'est pourquoi nous devons agir immédiatement. Vous ferez équipe avec Mitchell et deux officiers.

— Équipe ? s'étonna la jeune femme.

— Oui, vous deux avec Daniel et Phillip que vous utiliserez comme bon vous semble. Je me fous des heures sup, je me fous des notes de frais parce que vous ne rentrez pas chez vous et que vous devez faire livrer vos repas ici. Mais je veux des résultats avant que la psychose n'atteigne les médias. Pour l'instant, il n'y a que deux disparitions, le premier cas est considéré comme une fugue.

— Le coupable est un géant, souffla Stan. Peut-être deux mètres.

— Le coupable est flou, inspecteur. Et il n'y a pas de corps. N'allez pas sur ce terrain, ou je vous renvoie vider des maisons. Me suis-je bien fait comprendre ?

— Oui, capitaine.

— Si vous tenez à être nostalgique, vous aurez à disposition la salle dont vous vous étiez servi il y a plus de dix ans. Peut-être les murmures des anciennes erreurs vous empêcheront d'en commettre de nouvelles.

— Capitaine ? intervint Sarah. Je… je ne suis pas certaine de vouloir…

— Bordel, qu'est-ce qui cloche chez vous ? Nous venons de voir un gamin se faire enlever ! Je me contrefous de vos états d'âme ! Retrouvez-le !

— Fait chier, pesta Sarah en longeant le couloir jusqu'à son bureau.

Le capitaine se plantait : lui confier des affaires d'enlèvements d'enfants en pensant que cela ne l'atteindrait pas, la croire insensible, car non concernée !

— Putain de merde !

Elle avait retenu sa colère en voyant le géant tenir le petit Charlie entre ses mains. Même si la vidéo était de mauvaise qualité, il n'y avait pas besoin d'images en haute définition pour comprendre la terreur qu'avait dû ressentir le gosse. Sans aucun doute avait-il tenté d'appeler son père... Cette figure sacralisée. Cette solution à tous les problèmes, à toutes les peurs. Cette formule magique que les enfants emportent partout avec eux, croyant pouvoir invoquer ce génie salvateur à tout moment... Et ensuite, ensuite l'horreur de la prise de conscience. *Je suis seul, seul avec cet inconnu qui me fait mal, pourquoi ne viens-tu pas me sauver, papa, papa...*

Sarah se força à penser à autre chose. Une voix enfantine résonna au loin et se fraya un chemin à travers ses pensées. *Pas maintenant, ce n'est pas le moment...* Elle respira profondément, ferma un instant les yeux en s'appuyant contre le mur de son bureau. Trop tard, les voix affluèrent.

Donne-moi la main. Nous devons partir.

J'ai peur.

N'aie pas peur, Sarah. Tu me connais, je serai toujours là pour te protéger.

Tu me le jures ?

Oui, juré craché !

Et lui, il reviendra ?

Oui, il reviendra pour te faire du mal. C'est pour cela que nous devons nous enfuir.

J'ai perdu un chausson.

Ce n'est pas grave, nous n'avons plus le temps... je l'entends... vite...

— Tout va bien ?

Sarah rouvrit les yeux et découvrit Stan, immobile, dans l'encadrement de la porte.

— Je ne voulais pas vous déranger... vous vous sentez bien ?

— Oui, ne vous inquiétez pas, rien qu'une petite migraine, je suis habituée, assura l'inspectrice en se redressant.

— Très bien. Je venais juste vous demander de prendre vos dossiers. Nous devons nous mettre au travail sans tarder. Je vous attends dans la salle… celle que le capitaine nous a attribuée…

— J'arrive tout de suite, le temps d'avaler un comprimé.

L'inspecteur Mitchell placardait les trois photos contre le mur lorsqu'elle pénétra dans la pièce. Une forte odeur de renfermé y régnait. Cet endroit donnait l'impression d'avoir été scellé, comme un mausolée érigé à la mémoire des victimes passées. Des cartons de dossiers à moitié éventrés traînaient dans un coin. Une vieille étagère en métal, divers cadavres de meubles empoussiérés…

— Un vrai palace ! Je croyais que le premier cas devait être considéré comme une fugue, remarqua-t-elle en déposant ses dossiers sur l'unique table dont elle essuya la surface avec un morceau de tissu trouvé à même le sol.

— Moi, je le considère comme un « disparu », comme les deux autres.

— Je ne suis pas habituée à rechercher des « disparus ». Généralement, on fait appel à moi lorsque les corps sont retrouvés, pas avant.

— Disons dans ce cas que l'on prend de l'avance.

— Vous êtes vraiment persuadé qu'il s'agit du Géant de brume ? insista-t-elle.

Stan se retourna et s'approcha de Sarah. Elle mesurait dix bons centimètres de plus que lui, mais, face à son visage anguleux et à sa silhouette trapue, elle se sentait comme une souris devant un taureau. La jeune femme remarqua la dureté de son regard. Ses iris marron lui firent penser à des cercles dantesques : sombres, infinis, dangereux. Elle y devina la présence de nombreux démons. Elle était certaine de pouvoir y déceler les visages de sept chérubins errer pour l'éternité.

Souviens-toi. Sept.

Dante Alighieri, ton auteur préféré durant ton adolescence.

Le septième cercle de La Divine Comédie, *celui des violents.*

Violents envers eux-mêmes.

Violents envers autrui.

Vers qui se dirige ou s'est dirigée ta furie, inspecteur Stan Mitchell ?

— Tout cela n'est pas un hasard, affirma Stan. La physionomie concorde. Même si le capitaine refuse de l'admettre, je sais qu'il envisage également cette probabilité.

— Pouvons-nous nous fier à vos intuitions ? demanda Sarah, regrettant immédiatement cette référence au passé.

— Pour mettre les choses immédiatement au clair, et puisque nous allons travailler ensemble et que le sujet devra venir sur la table à un moment ou à un autre : il y a quelques années, le Géant de brume m'a échappé, tout le monde le sait. Mais ce que chacun ignore, c'est que toute ma vie je vivrai avec la mort des enfants sur la conscience. Cette fois, je l'aurai.

— Rien ne prouve que ce soit lui. En 98, il y avait des cadavres. De plus, nous ne sommes pas certains que les enlèvements soient liés entre eux…

— Je sais que c'est lui.

— Comment ?

— Appelons cela une… impression, rétorqua Stan en sortant des dossiers d'un carton.

Sarah l'observa quelques secondes. *Entendez-vous des voix aussi, inspecteur ? Maquillez-vous vos certitudes en impressions, de crainte d'être pris pour un fou ?* Elle attrapa une chaise qui traînait dans un coin et la tendit à Stan, qui la saisit sans même lui accorder un regard. Elle s'installa à son tour, face à lui, et attendit qu'il ait vidé son carton pour ajouter :

— Vous savez comme moi que le capitaine va me donner la direction de ces enquêtes, et croyez-moi cela ne me plaît pas plus qu'à vous.

— Je me doute que mes erreurs passées pèseront dans son jugement, ironisa Stan.

— Pour ma part, je veux bien vous laisser gérer les opérations. Je ne suis pas censée m'occuper de ce genre d'affaires et je me demande pourquoi Craig y tient autant, mais j'ai besoin d'une chose.

— Qu'est-ce que c'est ? demanda Stan en s'asseyant et en fixant la jeune femme avec attention.

— Que vous me disiez droit dans les yeux que vous saurez vous y prendre cette fois, et sans craquer.

— Vous avez lu le rapport de l'affaire du Géant de brume ?

— Oui, à l'époque une copie non officielle a circulé sous le manteau. J'ignore comment et pourquoi, mais sans doute n'aviez-vous pas que des amis dans votre équipe.

— J'étais le bouc émissaire idéal pour la police de Détroit. La faillite d'un homme est plus facile à expliquer que la faillite d'un district entier.

— Alors ? insista Sarah.

Mitchell afficha un léger rictus. Cette inspectrice avait besoin de s'assurer de sa santé mentale. *Ne comprenez-vous pas que si mon état psychologique avait été chancelant, on m'aurait retrouvé depuis longtemps avec le canon de mon arme dans la bouche, un trou fumant et libérateur traçant depuis ma mâchoire jusqu'à celui du mur de mon salon une diagonale parfaite ? Et vous, Sarah Berkhamp, qu'auriez-vous fait à ma place ?*

— Non, je ne craquerai pas, assura Stan en la regardant droit dans les yeux. J'étais surmené à l'époque et cette évaluation psychologique mise en place par le FBI n'était qu'une parodie afin de leur permettre de se saisir de l'affaire.

— Et maintenant vous vous jugez parfaitement opérationnel ?

— Autant que vous, inspectrice. Sinon pourquoi le capitaine nous aurait-il réunis ?

Le silence s'imposa. Tous deux se jaugèrent et se demandèrent quoi faire de l'autre. Travailler ensemble ou se méfier ? Stan ne voulait pas échouer. Il voulait *le* retrouver. Il voulait savoir pourquoi *il* s'en prenait à des enfants. Tuer un homme parce qu'il couche avec votre femme, tuer un homme pendant un deal qui tourne mal, tuer un homme parce qu'il vient habiter dans votre ancienne maison en vous riant au nez, tout cela Stan le comprenait. Mais pour s'attaquer à des enfants, il fallait une raison bien plus compliquée. La découvrir revenait à expliquer l'origine même du Mal.

Sarah, de son côté, se sentait engagée dans un chemin qu'elle refusait d'emprunter. Cet homme face à elle semblait déterminé. Et cette opiniâtreté lui parut effrayante. Elle aurait aimé se trouver chez elle, bien à l'abri dans son cocon et non pas aux côtés de cette boule de nerfs qui sans aucun doute noyait ses nuits dans la première bouteille disponible. Elle souhaita que sa vie fût différente : qu'un homme aimé la réconforte, qu'il la prenne dans ses bras en regardant la télé le soir, qu'il caresse son ventre arrondi en souriant et que les voix au fond d'elle cessent de lui dire de ne pas avoir peur.

Au lieu de cela : Stan Mitchell.

La honte du douzième district. Le fardeau de toute la police. Celui qui personnifie trop, en binôme avec la femme stérile qui ne peut personnifier des disparitions d'enfants.

Sacré casting !

— Par quoi commence-t-on ? demanda Sarah en signifiant ainsi la fin de l'observation.

Ils n'avaient pas le choix. Travailler de concert. Dehors des victimes trop jeunes les suppliaient d'agir.

— Par se presser, répondit Stan en abandonnant

à son tour toute défiance. Où sont les deux officiers qu'on nous a attribués ?

— L'un est en repos aujourd'hui et l'autre est en pause déjeuner.

— Bordel, pesta-t-il, pouvez-vous les faire venir tous les deux ?

Deux heures plus tard, l'équipe au complet se trouvait dans le bureau. Dossiers ouverts, restes de repas chinois, cendriers vomissant des cadavres et narguant l'affiche *Interdit de fumer*. Sarah laissa volontiers le commandement à Stan. Elle n'avait qu'une hâte : que ces affaires soient résolues ou classées pour qu'elle puisse retourner à la criminelle. Elle l'observa avaler les cigarettes. Elle l'observa lancer des regards nerveux vers les photos. Elle l'observa chercher dans le passé une aide pour le présent.

— Le labo a terminé l'étude des bandes-vidéo, déclara-t-il en feuilletant le compte rendu. Le van est un Chevrolet blanc Savana datant probablement d'avant les années 2000. La caméra n'a pu fixer la plaque de manière distincte. Daniel, tu te rends au centre des immatriculations et tu interroges les fichiers. Tu remontes à vingt ans, dans le Michigan et les États voisins.

— Nom de Dieu, on va se retrouver avec des milliers de noms.

— Tu filtres les résultats avec les fichiers des permis de conduire. Un homme, blanc, au minimum un mètre quatre-vingt-dix, entre trente et quarante ans. Commence par ceux qui ont un casier.

— Ça marche. On se revoit dans une semaine ! plaisanta Daniel.

— On n'a pas une semaine, et tu le sais très bien. Il faut revérifier les caméras aux alentours du centre commercial et celles des principaux axes routiers. On doit localiser ce Chevrolet blanc. Pour l'instant, c'est notre unique piste. Phillip, tu t'en charges.

— Oui, chef !

— Il faut retrouver ces gosses, intervint Sarah. À ce jour, pas de corps, donc on croise les doigts pour qu'ils soient vivants.

— Pour la victime au vélo ?

— Ça ressemble également à un enlèvement. On va espérer que le gamin s'est réfugié quelque part, peut-être qu'il a été surpris par le froid et qu'il donnera signe de vie d'ici à demain. Les résultats des différentes analyses ne seront accessibles que la semaine prochaine. Problème d'effectif, semble-t-il. Les hôpitaux ?

— Il en reste un à joindre. Je le fais tout de suite, promit Daniel.

Les deux adjoints quittèrent la pièce. Stan fixait à présent Sarah. Elle avait la désagréable impression qu'il lisait son âme, qu'il découvrait à son tour ses cercles diaboliques.

— C'était vous, affirma-t-il.

— De quoi parlez-vous ? demanda-t-elle en se levant.

— Il y a des années, cette jeune promue dans la salle de gym. Il me semblait bien vous avoir déjà croisée.

— Je ne vois pas.

Elle referma les dossiers, jeta les restes de repas dans une poubelle improvisée. Elle ressentit le besoin de s'occuper, de ne pas demeurer face à l'inspecteur Mitchell, et aurait souhaité un prétexte quelconque pour ne pas l'écouter et fuir la pièce.

— Vous étiez là à vous battre contre les poids comme si votre vie en dépendait, continua celui-ci.

— Sans doute, je m'y rendais souvent à l'époque. Je venais d'arriver. C'était un bon moyen d'évacuer le stress, prétexta-t-elle en lui tournant le dos pour ramasser une serviette en papier oubliée sur le sol.

— À qui parliez-vous ?

Sarah se figea. *Oh, inspecteur... vous faites fausse route... Le fait est que je ne parle à personne. J'entends juste. Avez-vous déjà imaginé une conversation où vous ne pourriez qu'écouter, où vos paroles ne seraient audibles que par vous-même ? Imaginez-vous à quel point cela peut être troublant et frustrant ?*

— Comment cela ?

— Vous murmuriez. Vos lèvres bougeaient comme si quelqu'un se trouvait en face de vous.

Sarah sentit sa gorge se nouer. Il faisait plus que lire son âme. Il lisait ses peurs.

N'aie pas peur, Sarah. Tu me connais, je serai toujours là pour te protéger.

— Oh oui, un vieux réflexe d'enfant, expliqua-t-elle en se retournant. Je parle souvent toute seule, cela m'aide à me concentrer.

— Je ne vous ai plus croisée ensuite, remarqua Stan en se levant.

— J'ai été mutée à Cleveland, aux narcotiques. J'y ai fait mes classes avant de me diriger vers la criminelle.

— Vous aimez ce que vous faites ? lui demanda-t-il subitement en lui faisant face.

Instinctivement, Sarah baissa le regard. Elle craignit qu'il ne découvre dans ses yeux ce qu'elle n'osait s'avouer à elle-même.

— Disons que je n'aime pas retrouver des corps, mais que j'aime découvrir la vérité derrière le drame, éluda-t-elle.

— Très bien répondu, inspecteur Berkhamp !

Pour la première fois depuis qu'ils se trouvaient dans cette pièce, Stan lui offrit un véritable sourire avant d'ajouter :

— Nous allons passer beaucoup de temps à traquer les disparus. Sans oublier que d'autres enfants risquent de croiser le chemin du suspect. Votre vie de famille va être réduite, je le crains.

— Elle ne peut pas être plus réduite qu'elle ne l'est, sourit Sarah à son tour.

21

Dimanche 10 mars 2013

Mary se changeait dans le vestiaire en avalant le repas qu'elle n'avait pas eu le temps de prendre durant sa garde lorsqu'un appel résonna dans les haut-parleurs de l'hôpital : « L'infirmière en chef Mary Verlin est demandée au secrétariat, c'est urgent. »

— Merde ! pesta-t-elle en avalant les dernières bouchées de son sandwich. Je sais maintenant pourquoi je préfère travailler la nuit, au moins, je peux manger au calme !

D'un pas alerte, elle longea le couloir pour accéder à l'escalier de service qui la mènerait plus vite au secrétariat que les ascenseurs toujours occupés. Cette démarche rapide était devenue, au fil des années à travailler au Henry Ford Hospital, une habitude pavlovienne : quand elle se déplaçait, c'était la plupart du temps pour une urgence. Parfois sa fille lui reprochait de ne pouvoir rester « cool » lorsqu'elles arpentaient ensemble les rues commerçantes. « Maman, comment veux-tu découvrir les bonnes affaires si tu marches à cette cadence ! »

Elle croisa quelques médecins qui, elle le devinait, se retournaient pour l'observer, elle la rousse incendiaire que beaucoup auraient souhaité avoir dans leur lit.

Une porte d'accès à badge magnétique, dernière lubie du directeur qui voulait lutter contre les vols de médicaments stockés autrefois dans des pièces ouvertes au grand public, le hall puis le secrétariat.

— On m'a demandée ?

L'employée de garde leva les yeux de son ordinateur et reconnut Mary, la grande infirmière que toutes jalousaient :

— Oui, tu as un appel sur la ligne 3, c'est la police. J'ai essayé de renseigner l'agent mais il m'a dit que c'était important et qu'il préférait parler directement au responsable de service.

Mary pensa immédiatement à sa fille puisqu'elle n'avait qu'elle pour qui s'inquiéter, pas de petit copain attitré susceptible d'avoir des ennuis... à moins que Stan... Elle se dirigea vers le central et décrocha :

— Ici Mary Verlin, que puis-je faire pour vous ?

— Bonjour, madame, officier Daniel Patrick, j'aurais besoin de quelques renseignements. Avez-vous un instant à m'accorder ?

Elle ne savait pas pourquoi elle avait pensé à Stan. Leur histoire remontait à plusieurs années maintenant. Ils s'étaient connus alors qu'elle travaillait à l'orphelinat de la police. Stan était venu exposer aux adolescents les débouchés que pouvait leur offrir une carrière dans les forces de l'ordre. Leur aventure fut courte, intense, mais vouée à l'échec. Lui passait ses nuits à vouloir sauver des enfants morts. Elle passait ses nuits à soigner des personnes encore vivantes. Deux mondes diamétralement opposés.

— Il s'agit de ma fille ? demanda immédiatement Mary.

— Non, ne vous inquiétez pas, ce n'est pas au sujet de votre fille, la rassura le policier. Il ne s'agit que d'un appel de routine.

— Je vous écoute.

Mary n'aimait pas les grandes phrases. Ici aussi, déformation professionnelle. Lorsqu'elle accueillait un blessé ou un malade, il fallait être précise et surtout rapide afin de ne pas permettre aux symptômes visibles ou invisibles de s'aggraver. Le personnel de l'hôpital était formé à agir dans l'urgence et à communiquer de manière claire et efficace, à débarrasser les informations de tout vocable toxique et inutile.

— Vous étiez responsable de la garde la nuit dernière, n'est-ce pas ? s'enquit l'inspecteur.

— Tout à fait.

— Je voudrais savoir si un enfant a été déposé à l'hôpital entre hier et aujourd'hui. Un garçon d'environ onze ans, type caucasien, se prénommant Damien.

Il y eut un bref instant de silence. Mary se remémora les personnes admises durant les dernières quarante-huit heures. Des hommes, des femmes, des victimes et des coupables, des Blancs et des Noirs, des vivants et des morts. Mais pas d'enfant.

— Cela ne me dit rien, répondit-elle. Mais laissez-moi consulter le relevé des admissions, parfois la mémoire nous joue de mauvais tours.

Mary déposa le combiné et se dirigea vers une étagère où étaient stockés les rapports de nuit. Son cœur battait encore la chamade. Mais tout allait bien, sa fille allait bien. *Reste cool, maman.* Elle trouva le dossier des admissions de la semaine écoulée, le feuilleta, mais ne vit aucune note concernant un garçon de onze ans.

— Désolée, il semble que ce ne soit pas le cas, affirma-t-elle en reprenant le téléphone. Du moins pas chez nous.

— Je vous remercie d'avoir répondu à mes questions.

— Attendez…

La fatigue se faisait ressentir. Mary observa le ciel blafard à travers la vitre qui donnait sur le parking de l'hôpital. Quinze heures qu'elle se trouvait sur son lieu de travail. Jusque-là elle n'avait émergé de son état de veille constante que pour envoyer un « je t'aime » à sa fille par SMS et pour avaler un sandwich que l'appel de ce policier ne lui avait pas permis de terminer sereinement. Il était temps de mettre un terme à cette conversation et de rentrer. L'équipe de jour était d'ailleurs déjà arrivée. Pourtant, elle ne pouvait raccrocher sans le demander. Les mots de l'inspecteur avaient réveillé les images d'une période trouble. Elle avait subi les événements en silence, préférant s'éloigner plutôt que de soutenir un homme dont elle était tombée amoureuse, mais qui souffrait de blessures qu'aucun médecin ne pourrait jamais soigner. Le goût amer de cette rupture avait disparu avec le temps. Ne subsistaient que d'infimes cicatrices invisibles. Et Mary eut soudainement peur qu'elles ne se rouvrent à travers ce « simple appel de routine »...

— Oui ?

— Vous appelez de quel district ?

— Le douzième. Pourquoi ? s'enquit le policier.

— Et vous recherchez un enfant ?

— Il ne s'agit que d'une procédure de routine, madame, ne vous inquiétez pas.

— Dites-moi juste que l'inspecteur Stan Mitchell n'est pas chargé de l'enquête, insista Mary.

— Je suis désolé, mais je ne peux vous donner ce genre d'informations, vous avez répondu à l'objet de mon appel et je vous en remercie. Bonne journée.

Mary tint un instant le combiné malgré les bips insistants informant que le correspondant avait raccroché.

Dans sa mémoire, elle revit la détresse d'un homme.

Elle se remémora son errance.

Elle se dit que le passé s'acharne parfois à bégayer.

Et pria en silence que Stan reste « cool ».

22

Vendredi 15 mars 2013

Les jours s'envolèrent sans qu'aucun des enfants réapparaisse, mort ou vivant. Les rues de Détroit se parèrent d'une neige fondue. Une mélasse grise et grumeleuse recouvrit les trottoirs tandis que l'hiver s'enfuyait, chassé par l'aspect spectral de la ville.

Les journaux relatèrent brièvement les disparitions. Les premières pages se remplissaient d'expropriations qui se déroulaient plus ou moins bien. Les postiers tremblaient d'apporter de mauvaises nouvelles. Parfois ils se contentaient d'abandonner dans une benne le courrier tamponné du sceau des fournisseurs de crédits. L'illusion perdurait. La population fuyait des quartiers entiers. Des propriétaires mettaient le feu à leur propre maison afin de toucher la prime d'assurance devenue plus importante que la valeur de leur bien.

Stan et Sarah cohabitèrent comme deux bêtes sauvages et craintives pouvaient le faire : chacun à sa place, à distance de sécurité, en espérant qu'aucune autre disparition ne se produise. Stan ne comprenait pas qu'il n'y ait pas de corps. Sarah ne comprenait pas pourquoi, en l'absence de corps, elle devait continuer à suivre l'affaire.

Les parents de Charlie ne parlèrent plus à la presse.

La mère de Damien se rendit tous les jours à l'endroit où le vélo avait été retrouvé. Elle passait des heures à arpenter les maisons désertes pour y crier le prénom de son fils. Pas une ne répondit à ses suppliques.

La famille de la première disparue accepta la théorie de la fugue. Sarah eut envie de gifler la mère pour cette inconcevable résignation.

Détroit avait perdu ses repères.

Ses habitants l'abandonnaient.

Ses parents pleuraient.

Ses enfants se taisaient.

La ville demanda officiellement sa mise sous tutelle financière. Tous les services furent diminués et restructurés au minimum, les éboueurs, la police, les administrations. La ville autrefois la plus riche du pays courait vers la faillite. Le temps moyen de réponse des pompiers et services d'urgence atteignit cinquante-huit minutes. Les bus ne circulaient que de manière anarchique. La paupérisation s'accentua. Les journaux s'en délectèrent. Détroit, la belle, l'irrésistible, la prometteuse, n'était plus que l'ombre d'elle-même.

Stan aussi.

Il n'avait pas pris de repos depuis une semaine. Il quittait le central tard le soir, croisant l'équipe de nuit qui l'observait, gagnant le parking, les épaules voûtées. Une fois rentré chez lui, le rituel demeurait identique : il ressortait les vieux dossiers, qu'il avait étudiés au point de pouvoir les réciter. Et comme pour se replonger parfaitement dans l'ambiance de l'époque, il posait une bouteille sur la table avec un verre vide.

Les pages se tournaient, le verre se remplissait.

Stan essayait de lire entre les lignes. Il s'inventait de nouvelles théories qui lui semblaient aussitôt stupides et dont il se débarrassait en avalant une gorgée d'alcool. Il regardait les photos des cadavres, relisait les dépositions des familles, redécomposait les scènes de crime, déchiffrait les conclusions du médecin légiste, rêvait de découvrir un indice quelconque.

La question qui le taraudait : *Où sont les dépouilles ?*

Cette énigme l'effrayait, car elle ne livrerait aucune réponse supportable : soit les corps existaient et Stan restait persuadé qu'il ne tarderait pas à les retrouver, soit les enfants étaient vivants et se trouvaient en plein cauchemar.

Treize ans en arrière.

Le Géant de brume dépose des cadavres derrière lui, des petits corps allongés, des gorges tuméfiées. Il montre à tout le monde que c'est lui qui mène le jeu. Après sept assassinats, il ne donne plus aucun signe de vie.

Pourquoi ?

Treize ans plus tard. Il réapparaît. Ne laisse rien derrière lui.

Pourquoi ?

146

L'inspecteur passait ses nuits à essayer de comprendre. Il doutait, se demandait s'il s'agissait vraiment de la même affaire – *Ne personnifies-tu pas de nouveau ?* – puis repoussait ses incertitudes au fond de la bouteille. Et chaque fois, lorsque le réveil sonnait et qu'il se retrouvait, bredouille et groggy, allongé tout habillé sur le canapé, il se promettait d'étudier encore et de trouver les réponses le soir même.

La journée touchait à sa fin et toujours pas d'avancée majeure. Stan attendait d'un moment à l'autre les résultats d'analyse des traces repérées autour du vélo. Il espérait y déceler les prémices d'un espoir.

Sarah l'avait prévenu qu'elle ne pourrait venir travailler cet après-midi. D'une manière surprenante, elle lui en avait même donné la raison sans qu'il la lui demande : rendez-vous chez un psy. « Problème de femme », avait-elle ajouté en apercevant l'inquiétude poindre sur le visage de son collègue.

Cette explication sibylline avait tracassé Stan. Il se rendit compte qu'il ne savait pas grand-chose de sa nouvelle partenaire. Avait-elle des enfants ? Avait-elle un compagnon ? Une jolie fille comme elle devait crouler sous les demandes, se dit-il. Un chat, un chien ? Était-elle lesbienne ? Murmurait-elle lorsqu'elle faisait l'amour tout comme elle le faisait en salle de sport ?

L'inspecteur s'amusa de ses propres questions. On ne pouvait réellement lui reprocher de penser au sexe

lorsqu'il croisait une jolie fille. Sa dernière aventure
« sérieuse » remontait à plusieurs années. Mary. La
belle infirmière rousse qu'il n'avait pas su aimer correctement. Et depuis c'était le vide intersidéral.

Stan se leva pour aller chercher son dixième café de
la journée. Au-dehors les rues se blottissaient contre
leur manteau de nuit. Le commissariat était presque
vide. La plupart de ses collègues de jour étaient déjà
partis retrouver leurs familles et leurs maisons pleines
de bruits. Lui se consolait avec du lyophilisé et les
rêveries d'une ancienne idylle. Alors qu'il attendait
que la machine à café ait fini la préparation, des bruits
de pas provenant du couloir attirèrent son attention.
Un jeune officier s'approchait, un dossier dans les
mains. Son pas traînant trahissait sa fatigue, et son
visage aux traits tirés le crépuscule d'une journée bien
trop longue et déprimante.

— Inspecteur Mitchell ? demanda-t-il d'une voix
éteinte.

— Oui, c'est bien moi. Vous voulez un café ?

— Non merci, inspecteur, ma femme m'attend. Je
vous dépose juste ce dossier. Il provient de la police
scientifique.

— Ah, merci, je ne l'espérais plus celui-là.

— Je vous en prie. Bonne soirée, le salua l'officier
en repartant.

— Oui, oui.

Le policier disparut, pressé de retrouver son foyer
et cette vie éphémère qu'un jour ou l'autre il perdrait.
Stan l'observa disparaître. Il ne savait s'il devait le

plaindre ou l'envier. Ce semblant d'existence, il l'avait connu lui aussi. Des années plus tôt à Washington. Des années plus tard avec Mary, ici, à Détroit. Stan retourna à son bureau (ce matin-là, en venant, il s'était arrêté acheter une plante afin que ce lieu ressemble moins à une remise abandonnée depuis des siècles), s'assit, mélangea d'un geste mécanique son café et feuilleta le compte rendu.

Comme à leur habitude, les scientifiques avaient noyé les résultats à coups de données et de formules indéchiffrables pour tout novice en physique et chimie. L'inspecteur se dit qu'ils aimaient cela, complexifier les choses simples. C'était leur manière de mettre en avant leur supériorité. Mais comme chaque fois, ils avaient tout de même pris soin de décrypter leur jargon dans la synthèse d'analyse. Il se dirigea directement vers cette page.

> 1 – Trace de latex sur le cadre métallique, aucune empreinte visible.

L'inconnu portait des gants.
Comme le Géant de brume, pensa Stan.

> 2 – Empreinte de pas de taille 45, profondeur concordant avec une silhouette massive et lourde, probablement celle d'un individu mesurant un peu plus de 2 mètres et pesant entre 95 et 100 kilos.

Comme le Géant de brume résonna une nouvelle fois dans son esprit.

> 3 – L'étude du moulage du calibre des pneus correspond à la marque Michelin, taillage LT245/75R16E.

Modèle utilisé entre autres pour être monté sur le van Chevrolet Savana.

Comme le véhicule sur le parking du supermarché. Putain de merde !

Stan saisit son téléphone et appuya sur le contact « Sarah ». Répondeur.

Merde.

Laisse un message. Rappelle. Elle doit décrocher. Les deux cas sont liés. Elle doit décrocher. La silhouette concorde. Les gants concordent. La continuité concorde donc il ne s'arrêtera pas là.

Réponds !

Chez le psychologue que lui avait fortement conseillé son médecin, Sarah venait de reprendre ses explications depuis le début : Stéphane, la décision d'avoir un enfant, les essais inutiles, la séparation…

— Vous connaissez le Géant de brume ?

Sarah ne fut pas certaine d'avoir bien entendu. Aussi fit-elle répéter la question au psy qui comprit immédiatement son trouble.

— Oh oui, excusez-moi…, se reprit celui-ci, je veux parler de la vieille légende, celle qu'on lit le soir, pas celle qui a fait la une des journaux il y a des années.

— Bien sûr, mon père me la racontait avant que je m'endorme.

— Le mien également. Je crois que tous les habitants de Détroit la connaissent ! Qu'est-ce qu'elle vous inspire ?

— Je… je ne sais pas. C'est une histoire que l'on raconte aux enfants pour qu'ils soient sages avec leurs parents.

— Sinon ?

— Sinon le Géant de brume vient les enlever et on ne les retrouve jamais. C'est bien cela ?

— Tout à fait. Ce monstre vous faisait-il peur lorsque vous étiez enfant ? la questionna le médecin.

— Oui, mon père racontait très bien les histoires, avoua Sarah.

— Et à présent ?

— À présent ?

— Oui. Êtes-vous toujours effrayée par ce croque-mitaine ? insista le spécialiste.

— Je ne vois pas… Je ne suis plus une petite fille. Pourquoi devrais-je avoir peur ? rétorqua l'inspectrice, sur la défensive.

— Oh, je ne parle pas pour vous. Avez-vous peur que le Géant de brume enlève un jour l'enfant que vous viendriez d'avoir ?

— J'en sais rien ! C'est un peu tordu comme question ! s'exclama-t-elle en se tassant un peu plus au fond de son fauteuil.

— Mademoiselle Berkhamp, cette question n'est pas *tordue*. Je peux croire sans trop me tromper que votre désir de maternité est contrebalancé par une crainte de la perte si forte qu'elle bloque votre esprit et donc votre corps. Nous allons passer beaucoup de

151

temps à parler de votre enfance, la clef de l'énigme s'y trouve sans aucun doute.

— Je ne souhaite pas évoquer ma jeunesse, je veux simplement comprendre pourquoi je ne peux pas avoir d'enfant…

— Vous voulez la solution sans connaître le problème ?

— En quelque sorte.

— C'est un peu tordu comme requête.

Sarah quitta le cabinet du psychologue et une fois installée derrière le volant de sa voiture ne put retenir ses larmes. Elle pleura comme elle ne se rappela pas l'avoir fait depuis des années, même lors de sa rupture avec Stéphane. Elle s'en voulait d'être allée à ce rendez-vous.

Qu'espérais-tu ? se reprocha-t-elle entre deux sanglots. *Que ce psy t'engrosse lui-même ? Qu'en t'injectant son sperme il en profite pour te retirer ces voix dans ta tête ? Pensais-tu vraiment que la solution serait aussi accessible ?*

La jeune femme resta de longues minutes prostrée dans son véhicule. La nuit tombait. Des réverbères s'allumaient, d'autres non.

Incapable de se rendre au central.

Incapable d'entendre parler d'enfants.

Incapable d'entendre parler à l'intérieur ou à l'extérieur de son crâne.

Sarah démarra après avoir consulté son portable : plusieurs appels provenant de Stan, mais elle n'eut pas le courage de les écouter. Plus tard, peut-être, même si là encore il ne s'agissait que d'un mensonge. Elle roula à travers les rues vides. Le silence vespéral de Détroit l'accompagna jusqu'à son appartement. Le chat miaula et quémanda son repas. Les gestes redevinrent inconscients, mais le félidé s'en accommoda et ronronna pour obtenir des caresses alors que sa maîtresse s'endormait sur le canapé.

23

Vendredi 15 mars 2013

Lisa essaya de comprendre.

Ses yeux étaient bandés.

Elle tâtonna le sol et se rendit compte que ses mains étaient liées.

Une terreur sourde résonna au fond d'elle, mais elle la repoussa, fidèle à son caractère déjà trop bien trempé selon sa mère.

Du bois. Un plancher.

Lisa se contorsionna et leva les mains pour retirer le tissu qui obstruait sa vue. Il était tellement serré qu'il lui faisait mal à la tête. Elle tira de toutes ses forces et tenta de s'en défaire en le faisant glisser au-dessus de son front. À sa grande surprise, elle y parvint. Les liens attachaient seulement ses poignets entre eux, ils étaient assez lâches pour lui permettre un minimum de mouvement.

L'obscurité. La nuit au-dehors de la cabane en bois.

Elle perçut de faibles bruits et tendit les mains sur

sa droite. Ses doigts touchèrent une autre main qui serra immédiatement la sienne.

Elle la reconnut tout de suite. Elle n'était pas toute seule, son frère était avec elle. Cette pensée lui apporta un peu de réconfort. Ils n'avaient pas été séparés. Andrew laissa échapper des pleurs, ces pleurs qu'elle connaissait par cœur. Puis d'autres bruits firent leur apparition autour d'elle, des sons qu'elle n'arrivait pas à décrire exactement.

— Je suis là, n'aie pas peur.

Lisa tenta de se souvenir des événements, mais un mur barrait sa mémoire et la seule chose dont elle réussit à se souvenir était ce litre de lait qu'ils avaient acheté. Hier ou aujourd'hui. Leur mère les avait autorisés à se rendre ensemble juste en bas de l'appartement, dans cette boutique devant laquelle la petite famille passait tous les jours en rentrant de l'école. En sortant, Andrew avait fait tomber la monnaie qui avait roulé en tintant sur le bitume. Un homme assez grand pour cacher le soleil leur avait proposé son aide. *Les pièces doivent toujours se trouver sur le sol*, songea-t-elle en remuant ses jambes ankylosées.

— Andrew, tu vas bien ?

— Oui, pleurnicha le garçon de deux ans son cadet.

— J'ai retiré mon bandeau. Et toi ?

— Je veux rentrer à la maison. Maman va nous gronder.

— Non, elle ne dira rien. Je lui expliquerai.

— J'ai froid.

— On va bientôt partir, promis.

La grande sœur tâtonna à la recherche de son frère.

Elle le trouva les genoux serrés contre lui et devina la ficelle qui lui encerclait les poignets. Que quelqu'un ait osé l'attacher de la sorte la mit en colère et des larmes faillirent apparaître, mais elle les repoussa en s'intimant d'être forte. Elle lui dégagea les yeux, mais le jeune garçon eut l'impression d'être aveugle tant les ténèbres étaient profondes.

— Aide-moi, on cherche une porte, lui murmura-t-elle en le relevant.

Le jeune garçon la suivit comme il le faisait toujours. Il serra sa main avec force pour ne plus la perdre et estompa ses reniflements. Lisa se déplaça lentement et posta son frère devant elle. Il se colla avec tendresse, rassuré par son odeur.

— Tends les mains devant toi, il faut trouver une poignée.

Les deux silhouettes avancèrent à tâtons, centimètre par centimètre. À un moment le pied d'Andrew rencontra un obstacle. Il sursauta et laissa échapper un petit cri de surprise.

— Un… un rat, hasarda-t-il comme explication.

— Je ne l'ai pas entendu s'enfuir, s'inquiéta Lisa. Attends, ne bouge pas.

La jeune fille se baissa doucement et maladroitement, l'obscurité trompant ses repères visuels et son équilibre. Non, elle n'avait pas entendu les minuscules pattes parcourir les planches. Mais elle avait entendu d'autres bruits. Depuis le début, depuis qu'elle était réveillée. Elle ignorait ce que c'était. On aurait dit le bruit de vagues réduit au volume minimum, un va-et-vient à peine audible.

— Tu as trouvé quelque chose ? chuchota son frère.

Non, pas encore. Elle déplaça ses mains de manière circulaire à la recherche de l'objet. Peut-être une clef pour sortir, une bouteille d'eau pour étancher la soif qui lui asséchait la gorge ou même une lampe pour leur permettre de se repérer ? Elle s'agenouilla sur le plancher et amplifia ses mouvements. Soudain elle le toucha aussi. Aussitôt elle retira ses mains, car elle s'attendait à rencontrer une surface dure, mais ce qu'elle avait frôlé ne l'était pas. Son réflexe fut de replier ses bras contre sa poitrine.

— Alors ?

Pour la première fois depuis son éveil, Lisa eut envie de crier sur son frère. De lui ordonner de se taire. De lui dire que s'il n'avait pas laissé échapper cette foutue monnaie ils seraient tous les deux en train de regarder la télé, lovés contre leurs parents. Au lieu de cela ils erraient dans l'obscurité d'une cabane en bois imprégnée de relents d'herbe mouillée en décomposition, où des murmures semblables à l'écho des vagues dansaient autour d'eux.

— A... attends, se contenta-t-elle de prononcer en réunissant tout son courage et en détachant les bras de son buste pour retourner vers l'objet.

Est-ce possible ? Est-ce bien ce que je pense ?

Ses doigts tremblèrent lorsqu'elle toucha ce qui se révéla être une chaussure. Ils remontèrent le long de la semelle, rencontrèrent un lacet noué et découvrirent une cheville qui ne bougea pas d'un millimètre malgré le contact. Instinctivement, Lisa se leva, vacilla avant de retrouver son équilibre et entoura Andrew de ses bras.

— Nous ne sommes pas seuls, Andrew, entends-tu les respirations autour de nous ?

24

Vendredi 15 mars 2013

Stan monta les marches deux par deux.

21 heures.

La nuit étranglait la ville. Le quartier de Sarah n'échappait que partiellement aux coupures de courant imposées par le maire : seule une moitié se trouvait dans le noir. Le lendemain, ce serait sans doute au tour des autres rues de fermer les yeux.

Il repéra la porte où une carte scotchée affichait le nom de sa coéquipière. Sarah Berkhamp.

Me voici face à ton « chez-toi ». Aucun autre nom sur la carte. Pourquoi ai-je la sensation de pénétrer dans un endroit où jamais aucune lumière n'est éteinte ? Pourquoi as-tu peur des enfants, Sarah ?

Sarah sentit la fuite du chat. La chaleur qu'il procurait à sa poitrine s'évapora en quelques secondes. *Cet animal ne pense qu'à manger*, se dit-elle avant de prendre conscience que ce n'était pas son estomac, mais le bruit des coups sur la porte qui avait dérangé le félidé. La jeune femme se releva difficilement et marmonna un faible « j'arrive ». Elle quitta à regret le canapé en se demandant qui pouvait lui rendre visite à cette heure-ci.

N'y songe même pas, sombre idiote ! se raisonna-t-elle en faisant fuir le fantôme de Stéphane. Elle se glissa le long du couloir, à moitié endormie, les pas traînants, et lança une œillade à travers le judas. « Merde… » soupira-t-elle en débloquant les serrures :

— Mitchell ? Mais que faites-vous là ? Quelle heure est-il ?

Il s'engouffra dans l'appartement.

— On a du travail, s'empressa-t-il d'annoncer en se délestant de sa veste. Euh… il est un peu plus de 21 heures et vous ne répondiez pas à votre téléphone… Vous dormiez ?

— Oui, je m'étais assoupie. Mais bon sang ça ne peut pas attendre demain ? demanda-t-elle d'un air plaintif.

L'inspecteur Mitchell se rendit alors compte de l'incongruité de sa visite. Ils ne se connaissaient que depuis une semaine à peine. Ils n'avaient pas parlé de grand-chose à part des enfants. Leur seul signe de reconnaissance se résumait à un hochement de tête le matin et le soir lorsqu'ils arrivaient ou partaient. À part cela, ils ignoraient tout de la vie de l'autre. Jusqu'à ne pas savoir combien de noms il pouvait y avoir sur une boîte aux lettres ou si une chambre d'enfant était aménagée dans leur quotidien.

— Non, Sarah, cela ne peut pas attendre.

Le fait qu'il l'appelle par son prénom ne la choqua nullement. Le cadre d'ailleurs ne se prêtait pas

160

au vouvoiement : son appartement mal rangé, ses chaussons à tête de lapin dont elle avait oublié l'existence et qui maintenant fixaient le regard de Stan, sa bouche pâteuse d'un sommeil à demi avalé... Seulement Sarah ne pouvait s'y résoudre. Elle repoussa cette main tendue et songea à son tableau favori, *The Drowning Girl*, de Roy Lichtenstein, dans lequel une femme se noyait dans des vagues oniriques. « *Je préfère sombrer plutôt que d'appeler Brad à l'aide.* » *En effet, il y a un peu de cela*, se dit-elle en refermant la porte.

— Bon... Si vous le dites... Vous voulez un thé ? demanda-t-elle en regardant son coéquipier s'installer sur la table du salon.

— Vous n'avez rien de plus fort ? demanda Stan.

— Un café ? Je blague !

Super, ta blague pourrie ! Après la magicienne aux pieds de lapin, voici le clown aux mots d'esprit soporifiques !

— J'ai du vin rouge ! se reprit-elle en se cachant dans la cuisine pour faire chauffer l'eau.

Elle sentit une chaleur étrange lui rougir le visage. Elle comprenait très bien ce qui se passait. C'était la première fois qu'un homme pénétrait dans son univers depuis Stéphane. Donc le deuxième depuis qu'elle avait emménagé ici. Sarah repoussait toujours ce moment-là et, même s'il ne s'agissait nullement d'un rendez-vous galant, cette intrusion la mettait mal à l'aise. Elle aurait préféré qu'ils se retrouvent dans un bar ou ailleurs. Cet appartement était son sanctuaire. Il connaissait ses peurs et ses faiblesses. Il avait été témoin de ses douleurs comme de ses joies. Il l'avait entendue murmurer aux voix.

Alors que l'eau frémissait, Sarah se demanda quelle souffrance ce pouvait être de perdre sa maison ou son appartement, ce que vivaient, en ce moment même, des milliers d'habitants de Détroit.

Allez, tu l'écoutes, il doit encore vouloir parler de ses intuitions, et ensuite tu refermes la porte derrière lui et tu te mets enfin à respirer !

Sarah se servit son thé et le déposa sur un plateau, ainsi qu'un verre à vin, une bouteille de merlot rouge et un limonadier.

Limonadier.

Lorsque Stéphane prononçait ce mot avec son accent français, elle avait toujours envie de lui faire l'amour.

Limonadier.

En arrivant dans le salon, elle resta quelques secondes sans savoir où poser le tout : Stan avait recouvert la table de nombreux dossiers, certains qu'elle connaissait pour les avoir étudiés avec lui, mais d'autres qu'elle n'avait jamais vus.

— Ne me dites pas que…, commença-t-elle en posant le tout sur la table basse.

— Il ne s'agit que de photocopies, précisa-t-il.

— Mais c'est interdit par le règlement !

— Croyez-moi, à l'époque le système était beaucoup moins regardant.

— Oh, merde, s'enthousiasma-t-elle en s'asseyant et en manipulant les archives comme s'il s'agissait de parchemins bibliques. Ça alors, cette affaire est si célèbre !

162

— Sarah, je l'ai rendue célèbre en échouant à la résoudre, merci de ne pas me demander d'autographe.

— Pardon, je ne voulais pas…, balbutia-t-elle en comprenant combien son enchantement était malvenu.

— C'est *lui,* Sarah. Je le sens au plus profond de moi. Regardez le compte rendu, là, « empreintes de pas retrouvées dans la neige et provenant d'une silhouette massive ». Comme l'homme sur la vidéo du centre commercial, comme *lui* il y a treize ans. Attendez, encore mieux, les pneus correspondent aux modèles utilisés sur des vans Savana. La personne qui a enlevé Damien est la même qui a enlevé Charlie. Et sans aucun doute également cette enfant que tout le monde croit en train de fuguer. *Il* recommence. Vous comprenez ?

— Des empreintes digitales ? questionna Sarah alors qu'elle manipulait les comptes rendus.

— Non, il porte des gants, comme *lui*…

— Il y a treize ans.

— Où allez-vous ?

Sarah s'était levée subitement pour se rendre dans la cuisine. Ce n'était pas uniquement pour aller y chercher un deuxième verre à vin. Mais également parce qu'elle entendait une voix grandir en elle, un murmure apporté par un vent de plus en plus puissant. Et elle ne voulait pas que Stan perçoive son trouble.

— Je vais me chercher un verre. Je crois que la nuit va être courte.

— Prenez également un bol d'eau, lança-t-il.
— Un bol d'eau ?
— Pour vos lapins.
Un point partout.

25

Vendredi 15 mars 2013

Le géant entendit les enfants bouger. Ils avaient réussi à se détacher. Il ne pouvait les voir, mais devinait leurs mouvements. Ces gamins ignoraient qu'il se trouvait là, avec eux, tapi dans l'obscurité de la cabane, et qu'il se lèverait bientôt pour les attacher à nouveau, avant qu'ils ne réveillent les autres. Il leur laissa quelques minutes encore. Il entendit des reniflements, de faibles murmures. Il sentait l'odeur de leur enfance et se mit à regretter la sienne. Seulement dans peu de temps, tout cela sera terminé, le temps pressait. La ville mourait et, lui, il observait. Il observait la légende renaître. Il observait les hommes croire que les légendes ne sont que des légendes, qu'elles n'existent que dans les peurs enfantines et les paroles des parents. Assis dans l'obscurité la plus profonde, il voyait plus clair que n'importe qui à Détroit.

Car tout recommençait.

Les légendes survivent toujours aux enfants devenus adultes.

La bouteille se vidait en un timing parfait. Ni trop rapidement ni trop lentement. Les deux inspecteurs feuilletaient, pensaient à voix haute, comparaient et, bien qu'aucun d'eux ne l'aurait admis devant l'autre, appréciaient ce moment.

— Il faut restreindre les recherches concernant le véhicule, suggéra Sarah.

— Tout à fait, laissons tomber les États voisins. Ce type est de Détroit. Il l'a toujours été. Demain, nous demanderons à Daniel de s'en occuper.

— La presse va vite tirer sa propre conclusion, regretta Sarah.

— Le capitaine s'en chargera. Le plus important pour l'instant est de retrouver le propriétaire du van. Si les immatriculations ne donnent rien, nous lancerons un avis de recherche. Toute personne détenant ce genre de véhicule devra se rendre à la police pour faire une déclaration. Il y aura du monde, mais nous filtrerons les résultats. Dans la vidéo, on ne voit aucune inscription de société sur les flancs. Donc nous éliminerons tous ceux qui en possèdent, cela fera un tri conséquent, je pense, car ces voitures sont le plus souvent achetées par des artisans, plombiers ou électriciens.

— Contactons également les revendeurs et croisons les déclarations, proposa la jeune femme.

— Bonne idée.

— Ces photos sont terribles. J'ignore si je n'aurais

pas été dépassée par l'affaire, avoua Sarah en refermant les archives du Géant de brume.

— Personne n'est préparé à ce genre de violence, se contenta de dire Stan en se servant du vin.

Tous deux s'appuyèrent sur le dossier de leur chaise. Les muscles se détendirent. Sarah bougea la tête afin de libérer la tension accumulée dans ses cervicales, Stan fit craquer quelques articulations. Un silence s'installa dans la pièce. Chacun le ressentit et le laissa durer. Les yeux de Stan s'attardèrent sur les pages étalées devant lui, puis s'en détachèrent timidement pour s'orienter vers Sarah. Elle tenait son verre de vin et le fixait avec une mélancolie certaine.

— Vous n'avez pas d'enfant ? demanda-t-il en réunissant les feuilles éparpillées ici et là, conscient que plus rien ne serait découvert à cette heure.

— Infertilité psychologique, lâcha Sarah, surprise par la facilité avec laquelle cet aveu était sorti de sa bouche. Et vous ?

— Un garçon. Il vit à Washington avec sa mère et je le vois très peu. Que s'est-il passé ?

— Quand ? demanda Sarah en détachant son regard du merlot pour affronter ce qui devait suivre.

— Dans votre vie, pour que cela entraîne une infertilité psychologique ?

— Oh, il faudrait beaucoup plus de vin pour que je vous raconte tout ça ! ironisa la jeune femme. Disons que j'y travaille.

— Votre rendez-vous chez le psy ne s'est donc pas bien déroulé, murmura Stan.

— Pourquoi pensez-vous cela ?

— Je sais reconnaître lorsqu'une femme a pleuré. Et le sommeil n'était pas la seule raison de la rougeur dans vos yeux.

— Je... je n'ai pas trop envie d'en parler...

— Excusez-moi. Pourquoi n'êtes-vous pas restée à Cleveland, aux narcotiques ?

— Cela peut paraître ridicule, mais j'aime Détroit. Même si elle ne redeviendra jamais la ville puissante et auréolée de gloire qu'elle était il y a quelques années, c'est chez moi. Et vous, Washington ?

— Trop beau, trop propre, trop lumineux, éluda Stan.

Bavure, gifles, droit de visite restrictive, mutation. Votre carrière et votre vie personnelle sont foutues ici. Tentez Détroit.

Un silence empli d'ailleurs et d'une autre existence caressa l'imagination des deux inspecteurs. Puis Stan les ramena dans la réalité en se levant.

— Il est temps que je rentre : demain, enfin dans quelques heures, nous aurons beaucoup de travail. Et je devrai une fois de plus essayer de convaincre le capitaine de ma théorie.

— Je vous y aiderai. Le temps n'est plus aux hésitations.

— Merci de m'avoir ouvert votre porte. Et pour le vin, ajouta-t-il en se levant et en se dirigeant vers le couloir.

— Votre veste, intervint Sarah alors qu'il ouvrait la porte de l'appartement.

La jeune femme décrocha le vêtement et le lui tendit en se moquant de ce côté tête en l'air qu'elle

168

ignorait jusque-là chez son coéquipier. Il la remercia une nouvelle fois, croisa son regard et lui adressa un sourire maladroit.

— Reposez-vous, Sarah, demain j'aurai besoin de vous en pleine forme.

Puis la porte se ferma. Les deux silhouettes demeurèrent immobiles quelques secondes, chacune de son côté de la frontière en bois. Stan s'avoua que ce moment avait été agréable. Il avait le sentiment qu'à eux deux ils parviendraient à attraper le Géant, même s'il ressentait une certaine retenue chez Sarah. *Cela passera avec le temps*, se dit-il en dévalant les marches de l'escalier, presque à regret. Sarah quant à elle posa son front contre la porte et resta un moment ainsi, debout, figée. Elle détestait entendre la porte se fermer. Pour elle, il n'y avait pas meilleur symbole de l'abandon. Le claquement sec et définitif de la serrure fouettait tout retour en arrière comme tout futur probable.

Le claquement douloureux de la porte lorsque le policier venu lui annoncer la mort de son père était sorti tête basse.

Celui, déchirant, quand Stéphane était parti, les bras tendus par des valises contenant une histoire d'amour devenue trop lourde pour lui.

Le claquement aseptisé de la porte du cabinet du docteur Puscali qui cloisonnait encore un peu plus son espoir de maternité.

Et ce soir la porte de son appartement qui claquait de nouveau pour laisser place à l'absence.

La jeune femme se redressa et retourna dans le

salon. Au loin, la ville ressemblait à une lune dichotome : une partie visible et l'autre recroquevillée dans l'obscurité. Elle se demanda si les enfants voyaient la lumière d'où ils étaient retenus. Elle l'espéra fortement. Pendant la soirée, Sarah avait eu envie de tout expliquer à Stan. Elle ignorait pourquoi, mais il lui inspirait confiance. Elle aurait aimé lui parler des voix. Peut-être n'aurait-il pas fui… Peut-être aurait-il compris pourquoi elle se sentait constamment fatiguée et déprimée… Peut-être n'aurait-il pas claqué la porte…

Le chat fit son apparition alors qu'il avait été invisible depuis l'arrivée de Stan. Il se frotta aux chevilles de sa maîtresse, mais se lassa rapidement de son manque de réaction pour se retrancher sur le canapé et y entamer une toilette consciencieuse. Sarah ramassa les verres, la bouteille et se murmura comme un mantra cette phrase de Javier Marías, un écrivain qu'elle aimait particulièrement : « Et que se taise ainsi cette haine qui me fatigue tant. »

Oui, la solution était là, comme souvent, cachée dans la musicalité d'une phrase.

Alors tout serait terminé.

Plus de porte claquée.

Plus de haine bouillonnante et enfermée au creux de son estomac.

Plus d'enfants disparus.

Plus de Géant de brume.

Et que se taise ainsi cette haine qui me fatigue tant.

Tout en toi n'était que fuite, Stéphane.

Au tout début, tu tournais la tête lorsque je te parlais d'enfant. Ensuite, tu me tournais le dos quand je pleurais et ne comprenais pas ma stérilité. Les premiers soirs, tu me suppliais de te décrire mes journées de travail. Plus tard, tu grimaçais en écoutant mes récits. Dès que je t'ai raconté mon passé et ces voix qui me hantaient, tu t'es mis à me regarder d'une manière fuyante. Tes paroles réconfortantes me faisaient du bien, mais je sentais au fond de moi que tu t'éloignais. Tout en toi n'était que fuite. Toute ta vie, tu chercheras à t'échapper de ta propre existence. Ton amour est comme ces vampires qui aspirent le sang de leur victime avant d'abandonner sans aucun regard la carcasse vide de toute vie. Tu es parti. Tu as fui une fois de plus. Tu as fui en direction d'un autre endroit à fuir.

Sarah aurait tant aimé lui balancer tout cela.

Lui cracher au visage peut-être, même si elle en était incapable. Briser une assiette ou deux. Hurler. Crier. Le gifler, le griffer, déchiqueter son cœur en lambeaux de regrets. Mais elle n'avait rien dit. Elle n'en avait pas eu le temps. Et maintenant, penchée au-dessus de son lave-vaisselle pour y déposer les verres bus avec Stan, elle comprit que le plus difficile n'était pas de faire entrer quelqu'un dans son appartement.

Non.

Le plus douloureux était le silence que laissait cette personne en partant.

Sarah se redressa et se dirigea vers la salle de bains. En apercevant son visage dans le miroir, elle se sentit soudainement vieille et épuisée. Elle se remémora son entretien chez la psy. « Y a-t-il une issue à la folie ? avait-elle demandé au spécialiste. — Vous n'êtes pas folle, vous avez simplement des fantômes enfermés dans vos placards, comme tout le monde. Nous allons leur ouvrir la porte, ensemble, et ensuite vous vous sentirez mieux. » Son esprit se sentit à son tour dépassé et las. Elle s'observa plus en détail : d'infimes taches de rousseur auréolaient son nez aquilin, tandis que des mèches rebelles délaissaient l'arrière de ses oreilles pour les recouvrir. Ses seins menus perçaient à travers la fragile étoffe de son tee-shirt. L'idée que Stan puisse avoir aperçu sa poitrine ne la dérangea même pas. Elle se foutait complètement de son sex-appeal. En avait-elle jamais eu ? Stéphane ne mentait-il pas déjà lorsqu'il lui vantait la fermeté de ses fesses, l'agilité de son bassin ou la taille parfaite de ses seins ?

Limonadier.

La jeune femme ouvrit la main droite où se trouvait l'objet. Elle le fixa un instant, comme surprise de sa présence.

N'aie pas peur, Sarah. Je serai toujours là pour te protéger.

— Je n'ai pas peur, murmura-t-elle en dépliant la lame. Et tu n'es jamais là.

Puis elle appuya le tranchant sur les veines de son poignet et laissa le sang couler.

La jeune fille courut le long du sentier puis coupa à travers les herbes hautes. Ses pieds nus la faisaient souffrir. Elle aurait dû garder ses chaussons, mais elle n'avait pas eu le temps de les mettre correctement. Les cailloux et les branches abandonnées sur le sol lui piquaient la voûte plantaire comme des aiguillons de verre. Elle retint ses larmes. Plus que quelques mètres, *se dit-elle en repoussant de ses bras tendus la végétation qui lui fouettait le visage.*

Le toit perça à travers les frênes.

« C'est ici », lui murmura le froissement des herbes contre sa robe.

La lune s'amusa de la blancheur de sa peau et de sa peur glacée.

Et vit l'enfant se terrer pour échapper au Géant.

26

Samedi 16 mars 2013

Une pluie huileuse s'écoulait des nuages anémiques. Ces cotonnades crasseuses et bas perchées s'effilo-chaient, comme pressées elles aussi de fuir Détroit et ses cadavres. Elle chassa la neige transformée en boue dont se nourrirent avec délectation les bouches d'égout.

Stan était resté debout. Hanz Craig se tenait sur ses deux jambes également, avec quelque chose de brisé au fond du regard.

— Une sœur et son petit frère, dix et huit ans. Ils sont partis chercher une bouteille de lait hier vers 19 heures. Les parents ont déclaré leur disparition deux heures plus tard.

— Je dois faire rouvrir l'affaire du Géant de brume. Sans votre accord, je ne peux pas le faire ni me plon-ger officiellement dans les anciens dossiers, intervint Stan.

Craig ne semblait même pas l'écouter.

— Quel monstre peut faire cela ? murmura-t-il pour lui-même.

— Il s'agit d'un homme comme vous et moi. Et non plus d'une légende vieille de plusieurs siècles. Capitaine ?

Son supérieur ressemblait à un boxeur acculé dans les cordes, groggy, les gestes hésitants. L'inspecteur Mitchell comprit immédiatement de quoi souffrait Craig. Il ne s'agissait pas de la pression constante des médias. Ni du maire qui, sans aucun doute, devait l'appeler toutes les heures pour venir aux nouvelles. Et encore moins de la fatigue et de la frustration accumulées durant cette semaine. Stan savait. Car il avait commis la même erreur des années auparavant, lui aussi avait trop *personnifié* l'affaire. Et ce qu'ajouta Hanz ensuite confirma son jugement :

— Nous sommes tous les deux parents, Stan. Chopez-moi cet enculé. Et retournez dans le passé si vous pensez que la solution s'y trouve. Vous serez couvert.

— Je n'échouerai pas, affirma l'inspecteur en serrant les mâchoires, je ne referai pas les mêmes erreurs.

— Je vous souhaite alors de détruire votre propre légende, inspecteur.

Stan pénétra dans la salle de travail comme un taureau dans une arène. Il avait eu raison. Depuis le début. D'autres enfants allaient disparaître. Il se pourrait qu'ils réapparaissent ensuite, la vie en moins, allongés sur la terre désertée. Sarah n'était toujours pas arrivée. Peut-être un mal de tête causé par une nuit courte et par l'alcool.

Sa coéquipière l'intriguait de plus en plus. Il avait perçu en elle une douleur sourde qui envahissait le moindre de ses gestes ou paroles. Chaque fois qu'elle bougeait ou regardait quelque part, il avait l'impression qu'elle livrait une bataille invisible l'obligeant à être constamment sur le qui-vive. À moitié dans ce monde, à moitié dans un autre. Après quelques verres, ce réflexe s'était atténué, mais il restait ce sentiment que Sarah traînait un fardeau trop lourd et qu'elle ne s'arrêtait que trop rarement pour reprendre des forces.

Au-dehors, l'inspecteur devinait le murmure qui montait de plus en plus et qui ne tarderait pas à s'afficher dans les médias : *Le Géant de brume est de retour*. Le capitaine allait faire son possible pour étouffer les suppositions, mais il ne pourrait le faire indéfiniment. Dans quelques jours, la rumeur deviendrait une certitude et toutes les mémoires se tourneraient vers le passé, fixant de leurs yeux accusateurs celui qui n'avait pas réussi à interpeller le Géant et qui avait donc rendu ce retour « possible ». Stan le savait et s'y était préparé. Il ne répondrait à aucune interview, ce qui était également l'avis de Craig. « Laissez-moi nourrir les chiens et concentrez-vous *uniquement* sur votre enquête. »

Vers 14 heures, Daniel fit irruption dans la pièce, l'air exalté :

— Deux mille six cent vingt-sept immatriculations ! Six cent quarante-deux à Détroit et dans le

Michigan, le reste dans les plus proches États, lança-t-il victorieux.

— C'est la précision des chiffres qui vous excite ou l'idée de devoir vérifier une par une ces immatriculations ? ironisa Mitchell qui, assis face à l'unique ordinateur à disposition, recherchait les profils des criminels correspondant aux données fournies par le dossier scientifique.

— Les deux.

— Nous nous concentrerons sur les véhicules enregistrés à Détroit.

— Où sont Sarah et Phillip ? demanda Daniel en voyant que leurs affaires n'étaient pas présentes.

Entendre une autre personne de l'équipe appeler Sarah par son prénom irrita les oreilles de Stan.

— L'inspecteur Berckhamp ne devrait plus tarder et Phillip a été envoyé auprès de la famille, expliqua-t-il.

— La famille ?

— Bon sang, Daniel, la radio de votre voiture ne fonctionne-t-elle pas ?

— Je baisse le volume lorsque je ne suis plus en service… et ne pense pas toujours à le remettre.

— Deux enfants, un frère et une sœur, ont été enlevés hier, l'informa Stan en se relevant.

— Putain de merde.

— Comme vous dites. Cette affaire va prendre de l'importance. Les médias la répandront, les politiques s'en mêleront et le FBI rappliquera. L'histoire tout comme les légendes se plaît à bégayer. La liste ?

— Oui, tenez, voici la liste des véhicules pour

Détroit. Le fait que la maison mère se trouve chez nous a multiplié leurs ventes.

— Six cent quarante-deux. Vous allez retrouver et retirer les véhicules enregistrés à des fins commerciales. Sur la vidéo, le van est blanc, et uniquement blanc, pas de stickers ni de pubs. Tout véhicule acheté dit « de fonction » se doit d'afficher le nom de l'entreprise.

— Très bien. J'y retourne. Ah oui, j'ai trouvé autre chose qui pourrait nous intéresser, ajouta Daniel en claquant des doigts.

Son haleine puait la cigarette, le col de sa chemise arborait des taches douteuses et il donnait toujours l'impression d'avoir été réveillé en pleine nuit. Mais Stan savait que c'était un policier tenace, qui avait tendance selon certaines rumeurs à passer plus de temps auprès d'autres femmes que dans le lit conjugal, mais cela avait très peu d'importance. Chaque homme se doit d'évacuer sa part d'ombre, et les policiers sans doute encore plus.

— Allez-y, l'encouragea Mitchell.

— En joignant le central de Cleveland afin qu'ils me fournissent leur relevé d'immatriculations, j'ai fait connaissance avec la standardiste, Rachel.

— Vous croyez que c'est le moment de…

— Non, attendez, cette agréable sexagénaire était charmante, mais ce n'est pas ça, lorsque je lui ai expliqué le pourquoi de ma requête, les enfants, le van blanc, j'ai senti un changement dans sa voix.

— Un changement ?

— Oui. Elle est restée quelques instants silencieuse, j'ai d'ailleurs pensé à un dysfonctionnement de son appareil auditif, mais en fait elle réfléchissait.

— Et ?

— Et elle a ressorti un ancien dossier où les deux critères étaient liés, annonça-t-il en feuilletant son carnet de notes. Ici. En 2003, un enfant a été enlevé à la sortie d'une école de Cleveland. Du moins, a failli être enlevé, car le gosse a réussi à s'échapper et à s'extirper du véhicule. Je vous laisse deviner la suite.

— Un géant ?

— Exactement. Selon la déposition du gosse, l'homme était de très grande taille et portait une sorte de masque, comme un sac en toile de jute avec trois orifices.

— Vous êtes sérieux ?

— Oui. L'affaire n'a pas été médiatisée, ajouta Daniel, car il ne s'agissait que d'une tentative d'enlèvement, mais Rachel s'en souvenait très bien, à l'époque son petit-fils était inscrit à la même école.

— Merde. Ce qui signifie que notre homme se déplace et qu'il ne rôde pas qu'à Motor City. Faites une recherche sur des cas similaires dans les États voisins. Peut-être trouverons-nous quelque chose.

— À vos ordres !

Stan resta un moment à méditer les informations de Daniel.

Lui qui avait toujours cru que le tueur se cantonnait à cette ville... Il était presque déçu par cette nouvelle. Depuis le premier cadavre en 1998, Stan était persuadé d'avoir affaire à un Détroitien. Il ignorait pourquoi cette idée ne l'avait jamais quitté. Mais pour lui le tueur connaissait la ville par cœur. Il lui offrait ses victimes, comme une offrande à une légendaire divinité lovecraftienne, sombre et mystérieuse, trahissant ainsi un lien presque filial entre lui et Détroit. Mais, outre cette déception plus symbolique que réelle, un autre détail tracassait l'inspecteur. Un détail concret, loin de tout mysticisme populaire.

Cleveland.

Stan eut l'impression étrange que les pièces du puzzle commençaient à se regrouper. Il ferma les yeux un instant. Se concentra. Murmura les paroles échangées. Une brève explication jaillit dans son cerveau, aussi rapide et effrayante qu'un éclair dans un ciel menaçant. Il rouvrit les yeux alors que le martèlement de la peur lui violentait la poitrine.

Ne serait-ce qu'un hasard ?

Cleveland. Tentative d'enlèvement. Une victime avait échappé au Géant de brume. Il avait raté son coup car il n'était pas chez lui, pas à Détroit.

Stan se souvint des paroles de Sarah cette nuit.

Tout comme il se souvenait de l'avoir vue la première fois dans la salle de gym du poste de police.

Un goût âcre apparut dans sa bouche. Il ressentit une chaleur monter le long de son estomac alors que sa colonne vertébrale subissait les assauts d'un froid glacial.

Détroit-Cleveland-Détroit.

Stan saisit le téléphone interne et demanda une mise en liaison directe avec Cleveland, service des immatriculations. Après quelques minutes d'annonce invitant tout Clevelandais à venir grossir les rangs de la police, une voix féminine répondit :

— Service des immatriculations.

— Bonjour, ici l'inspecteur Stan Mitchell de Détroit, je voudrais parler à Rachel.

— C'est moi... Que puis-je faire pour vous ? lui répondit une voix au timbre délicat.

— Un de mes collègues vous a contactée au sujet d'un van blanc.

— Oui, je m'en souviens très bien, charmant monsieur d'ailleurs.

— Tout à fait, maugréa Stan. J'aimerais savoir où a eu lieu la tentative d'enlèvement que vous avez évoquée.

— L'endroit exact ?

— S'il vous plaît, appuya Stan.

— L'école se situe dans le nord-est de la ville, St. Parick Street.

— Y a-t-il un central pas loin ?

— Oui, le huitième district, c'est un central spécialisé.

— Serait-ce... celui des narcotiques ? demanda l'inspecteur d'une voix hésitante.

— C'est bien cela.

Stan raccrocha subitement. Des gouttes de sueur perlaient le long de ses tempes.

Détroit-Cleveland-Détroit.

Il se leva et se dirigea vers le plan de la ville punaisé au mur : des croix indiquaient au feutre rouge l'emplacement des corps retrouvés en 1998, ainsi que les endroits, en bleu, où avaient eu lieu les enlèvements de 2013.

Le premier corps avait été retrouvé à Palmer Park. À quelques mètres du douzième district où Sarah venait d'arriver en sortant de l'université de police.

La tentative d'enlèvement de Cleveland correspondait à l'époque où Sarah était en formation aux narcotiques, à quelques blocs de l'enlèvement avorté.

La fugue supposée de la semaine dernière, et donc le début des nouvelles disparitions, concernait une famille habitant dans le douzième district. Le district de Sarah.

Nom de Dieu. Ne serait-ce qu'un hasard ?

27

Samedi 16 mars 2013

Mary lut les journaux.

Elle découvrit comme tous les habitants de Détroit le retour du Géant de brume. Elle chercha entre les lignes la présence de Stan. Celui-ci n'était mentionné nulle part, mais elle devinait son ombre derrière chaque mot.

« L'enquête est entre les mains de la police, les pistes se multiplient, affirme, confiant, le capitaine Hanz Craig », rassurait la première page d'un quotidien.

Elle ressentit l'envie de l'appeler, juste pour savoir comment il allait. C'est elle qui avait coupé les ponts. Pourtant il lui plaisait, et c'était réciproque à l'époque. L'imaginer replonger dans l'affaire, dans *son* affaire, l'inquiétait. Lorsque Stan s'accrochait, il était difficile de lui faire lâcher prise. *Molosse.*

Durant les quelques mois où ils avaient vécu ensemble, ils avaient formé un couple improbable. Il lui racontait son métier de policier, les enfants, leurs corps allongés, leurs gorges gonflées. Elle lui expliquait son rôle d'infirmière en chef, ses nuits. Des drogués en pleine overdose, des accidentés de la route soudainement amputés, des chambres qu'elle devait désinfecter à la suite de décès. Ils s'accordèrent un point commun : tous les deux essayaient de stopper l'hémorragie du malheur. Ils en rirent pour masquer l'impétueuse tragédie. Ils firent l'amour pour conjurer le mauvais sort qui dansait autour de leurs existences. Ils cherchèrent des réponses qu'ils ne murmurèrent jamais. La nuit est-elle plus assassine que le jour ? Quelle est la véritable antichambre de la mort, la rue ou l'hôpital ? Pouvons-nous construire notre couple sur les cendres de ces vies incendiées ?

Ils ne se voyaient pas réellement. Ils se croisaient. Quelques heures par jour, rarement des nuits entières. Ils trouvèrent cependant leur équilibre dans cette instabilité. Lorsqu'ils s'allongeaient nus l'un contre l'autre, lorsque ses mains balayaient sa chevelure rousse et qu'il embrassait ses lèvres affamées, la vie redevenait normale. Durant un court moment, elle oubliait ses patients et espérait que Stan oubliait ses enfants. Mais elle n'en fut jamais vraiment persuadée.

— Mary.

Julia, une infirmière en poste depuis moins de deux ans. Mary avait été sa tutrice pendant sa première année de formation. Elle lui avait ouvert la porte de sa maison, et Julia et sa fille était rapidement devenues amies. Parfois elle souhaitait que cette jeune fille trouve un autre emploi, qu'elle s'échappe de cet univers de sang et de larmes pour profiter de la vie comme chacune devrait le faire à son âge. Mais à Détroit plus personne ne s'accrochait aux rêves, seulement aux rares emplois disponibles, et l'hôpital attirait régulièrement la jeunesse désabusée de la ville.

— Oui ?

— Un certain Stan est ici, l'informa Julia.

— Ici ?

— Aux urgences, enfin derrière, à la porte de service. Il t'a demandée. Je note quelque chose ?

— Non, ce n'est qu'une simple visite, supposa Mary, même si elle n'en pensait pas un mot.

Elle craignit un mauvais coup, une balle mal placée, un règlement de comptes et un Stan trop saoul pour avoir ailleurs où aller. Dans tous les cas, son apparition soudaine n'augurait rien de bon.

Vers 18 heures, et après de nombreux messages laissés sur le répondeur, Stan s'était décidé à se rendre chez Sarah. Sa coéquipière ne s'était pas montrée de la journée, et elle n'avait prévenu personne.

Détroit-Cleveland-Détroit.

Sarah-Sarah-Sarah.

Les rues pleuraient. La pluie grasse dégoulinait le long des vitrines de magasin. Elle rampait plus qu'elle ne coulait, comme si elle refusait d'abandonner le ciel et de fouler le sol de Détroit par peur d'une quelconque infection. Les lampadaires s'éclairaient douloureusement, un sur deux ne se réveillait pas. Stan apercevait à travers le voile aqueux des pancartes *À vendre* collées sur les façades.

Aucune d'entre elles n'annonçait « vendu ».

Stan essayait de comprendre. Y avait-il un lien ou n'était-ce que le fruit de son imagination ? Qu'est-ce que le Géant de brume avait à voir avec sa coéquipière ? Pourquoi ne répondait-elle pas ?

Lorsqu'elle lui ouvrit la porte de son appartement, il remarqua son regard absent. Elle lui parla d'une voix faible, balbutia une migraine, se reprit, « non, plutôt des maux de ventre, j'aurais dû appeler », puis s'assit dans le fauteuil. Il vit son poignet enrobé d'un linge rouge. « Un verre cassé, maladresse. » Stan observa son visage blême qui se craquelait. Il se dirigea vers la cuisine et se saisit d'une tasse dans laquelle il ajouta de l'eau et un morceau de sucre puis la lui tendit. Elle la saisit sans réellement le faire, comme si le fil invisible d'un marionnettiste décidait pour elle des mouvements à effectuer.

Il s'assit puis, lentement, défit le bandage et découvrit les coupures. Sarah le laissa faire. Elle regardait ses blessures comme si ce bras n'était pas le sien. Elle se lança dans des explications incompréhensibles, se mit à pleurer, à renifler, à sangloter des soubresauts de tristesse…

Stan la réconforta en la serrant contre lui.

Il pensa : *crise de nerfs*.

Il se souvint de ses propres crises de nerfs : Washington, son ex-femme, les gifles, Détroit après son éviction de l'affaire du Géant de brume, l'alcool…

Il comprit alors la douleur comme s'il s'agissait de son bras à *lui*.

— Il dit qu'il sera toujours près de moi pour me protéger, mais il n'est jamais là…, prononça faiblement Sarah. Je souffre de l'entendre et je souffre de son silence.

— De qui parlez-vous, Sarah ? lui demanda l'inspecteur, en regroupant soigneusement derrière les oreilles de la jeune femme les cheveux qui lui zébraient le visage. De votre ex-petit ami ?

— Non, ce n'est pas lui, tout serait si simple alors…

— De qui s'agit-il ? l'interrogea Stan qui s'inquiétait de plus en plus de l'état de sa partenaire.

Combien avait-elle perdu de sang avant de se ressaisir ? L'idée d'aller vérifier la salle de bains lui traversa l'esprit, mais il comprit que ce n'était pas la priorité. Il la sentait « partir », sombrer dans un état léthargique qui nécessitait d'agir rapidement avant une probable perte de connaissance.

— Je… je ne sais pas de qui… il s'agit. Je n'entends que sa voix.

— Écoutez, je ne comprends rien et vous ne semblez pas en état de me fournir des explications claires et compréhensibles. Venez, intima Stan en se levant et en l'attirant avec lui, je connais une amie qui pourra vous soigner, elle ne parlera pas et il n'y aura aucun document officiel.

— Je…

— Laissez-moi terminer : j'ignore quel est le problème et si je peux vous aider. Seulement je pense avoir découvert une piste et j'ai besoin de vous pour l'exploiter. Alors venez.

Sur le trajet, tandis que Sarah observait la ville au-dehors sans prononcer une parole, Stan pensa à Mary. De nombreuses années s'étaient écoulées depuis *eux*. La revoir ferait ressurgir sans aucun doute une douleur encore vive. Bien qu'elle lui ait apporté du réconfort dans une période difficile, elle demeurait malgré elle un symbole de ces années sombres. À quel point leur relation aurait-elle été merveilleuse si le Géant de brume n'avait assombri son existence à l'époque ? Et c'est bien cela qui rendait le fait de la revoir si difficile : le sentiment d'être passé à côté d'une histoire formidable, et de ne pas s'être assez battu pour la vivre. D'avoir laissé une légende enterrer la réalité. Mais il avait confiance en elle, il savait que Mary accepterait de s'occuper de Sarah sans le mentionner ni l'inscrire dans aucun registre.

La tête appuyée contre la vitre de la voiture, Sarah ne rompit le silence qu'en apercevant le panneau indicateur signalant l'entrée de l'hôpital :

— Stan, ce n'est pas la peine, j'étais simplement fatiguée… l'alcool… les voix…

— Nous sommes tous fatigués, Sarah. La ville entière l'est. Vous voulez me parler de ces voix ?

— Je… je ne sais pas, je suis épuisée…

— Très bien, on verra cela plus tard, conclut-il alors qu'il se garait devant la porte de service.

Mary avait terminé le bandage. Stan restait muet, le visage fermé, signe chez lui qu'il cherchait une réponse à une énigme quelconque. Peut-être même plusieurs réponses. Sarah demeurait silencieuse également. L'infirmière l'avait observée du coin de l'œil lorsqu'elle l'avait soignée. C'était une belle jeune femme, athlétique, dotée de traits fins et d'yeux légèrement en amande. Une pointe de jalousie fit irruption. Stan et elle couchaient-ils ensemble ? La présence du Géant de brume assombrissait-elle déjà les jours de ce couple tout comme elle l'avait fait des années plus tôt ? *Reste pro*, s'intima-t-elle en chassant ses pensées.

Quand Mary lui avait demandé ce qui s'était passé, Sarah s'était contentée d'une explication évasive, un verre brisé, une maladresse. Mais l'infirmière expérimentée sut reconnaître le mensonge : on se coupe rarement de manière aussi parallèle. Encore moins le long des veines du poignet. De plus les coupures n'arboraient pas les contours lisses et droits d'une blessure par un verre blanc. Cela ressemblait plutôt à un petit couteau dentelé. Et à un acte délibéré.

— Voilà, c'est fini, annonça Mary. Les plaies risquent de se rouvrir. Dans ce cas, il faudra refaire le pansement. Je vais vous donner le nécessaire.

— Merci, murmura Sarah d'une voix éteinte.

— Avec un peu plus de malchance, il aurait fallu des points de suture. Faites attention la prochaine fois que vous faites la vaisselle, ironisa Mary. Vous avez tout de même perdu pas mal de sang. Reposez-vous.

Puis elle lança un regard à Stan avant de sortir

pour récupérer bandage, gazes stériles et désinfectant. Dans ses yeux, elle lut la reconnaissance, mais aussi le doute. Le même doute qu'elle déchiffrait quand ils se retrouvaient la nuit et que l'inspecteur devenait soudainement songeur. *Ces deux-là se doivent des explications*, pensa-t-elle en quittant la pièce.

Stan attendit quelques secondes après le départ de Mary.

— Sarah ?

— Oui.

— Ce ne sont pas des coupures de verre cassé. Personne n'est dupe. Racontez-moi, l'encouragea-t-il en lui faisant face.

— Pas maintenant. Je suis fatiguée, prétexta Sarah en observant son bandage comme s'il venait juste d'apparaître.

— Je dors chez vous ce soir.

— Stan… ce n'est pas nécessaire… tout va bien. On doit se remettre au boulot.

— Je reste avec vous jusqu'à demain, imposa-t-il d'une voix ferme qui le surprit lui-même. Votre canapé a d'ailleurs l'air beaucoup plus confortable que mon propre lit. J'emporterai les dossiers et on travaillera comme la dernière fois. Quand vous vous serez reposée, bien entendu.

— Stan, je…

— Ce n'est pas négociable, coupa celui-ci. On a des enfants à sauver. On ne peut plus se permettre de perdre du temps ici ou ailleurs. J'ai besoin d'une partenaire en pleine possession de ses moyens.

Sarah s'était redressée pour lui faire face. Ses yeux s'embuèrent légèrement. Elle tenta de prononcer quelque chose, mais les paroles restèrent muettes, comme bloquées dans sa gorge. Alors elle s'approcha doucement de Stan et lui déposa un baiser sur la joue.

— Je voulais juste vous remercier.

28

Dimanche 17 mars 2013

Sarah se plia à la volonté de Stan.

Non pas qu'elle pensât avoir besoin de sa présence dans son appartement, mais simplement parce qu'elle n'avait pas assez de force pour tenter de le dissuader.

Molosse.

Quand elle alla se coucher, elle le laissa dans le salon à feuilleter encore et encore les dossiers des anciens crimes. Elle entendit le bruissement des pages alors que son esprit sombrait. Son poignet la faisait légèrement souffrir, elle y était allée profond cette fois-ci, beaucoup trop profond…

Croyais-tu que cela assourdirait les voix, Sarah ?

Cet homme qui t'a secourue et pour lequel tu ressens des sentiments ambivalents n'est-il pas mon moyen de te protéger ?

Je serai toujours là, Sarah, je tourne autour de toi et tu ne me vois pas.

Je serai toujours là pour te protéger, je te l'ai promis…

Lorsqu'elle se réveilla, elle n'aurait su dire si c'était le matin ou l'après-midi. La porte de la chambre était fermée, aucun bruit pour donner un indice temporel quelconque. Une lumière solaire perçait les rideaux et soulignait dans ses rais longilignes d'infimes grains de poussière qui venaient s'échouer sur le sol. Sarah les observa un instant qui dansaient sous ses yeux. Elle eut envie de souffler dans leur direction pour accélérer leur mouvement, mais s'y refusa, jugeant le geste inutile. Alors elle regarda leur danse hypnotique en oubliant le reste. Puis ferma les paupières. Et rêva de lumière poussiéreuse.

Ce fut son frère qui se réveilla en premier. Il attendit les larmes de panique, mais aucune ne vint. Ses yeux étaient aussi secs que la poussière sur le sol de la cabane. Il donna des coups d'épaule pour alerter sa sœur endormie à ses côtés. Lisa émit un grognement puis bougea légèrement. Elle prononça son prénom et reprit conscience en sortant de son sommeil.

— Il est parti, murmura Andrew.

Peu de temps auparavant, le jeune garçon avait été réveillé par le bruit de la porte suivi de celui d'un cadenas que l'on ferme. Il s'était assoupi par la suite, ainsi ignorait-il depuis combien d'heures ou de minutes l'homme avait quitté l'endroit. Mais il ne devinait plus sa présence.

— Depuis quand ? l'interrogea Lisa.

— J'en sais rien.

— Tu peux voir quelque chose ?

— Non et toi ?

— Non. Attends, j'ai une idée.

Andrew sentit sa sœur bouger. Il lui faisait confiance. C'était elle la « responsable », comme disait maman quand elle les laissait seuls pour aller faire une course. Bien que le garçon ressentît de plus en plus le besoin de montrer au monde entier que lui aussi devenait responsable, il s'accommodait souvent de cette hiérarchie familiale. Car Lisa s'en sortait malgré tout pas mal comme grande sœur. Ses genoux cognèrent les siens puis il sentit l'haleine tiède de Lisa contre son front. Elle lui déposa même un baiser comme elle avait l'habitude de le faire le matin dans la cuisine. Bizarrement, c'est à ce moment que l'enfant eut envie de pleurer, mais il se retint.

Grand et responsable.

Son bandeau bougea maladroitement devant ses yeux. Il comprit que Lisa essayait de l'attraper avec ses dents pour le faire descendre et lui permettre ainsi de recouvrer la vue. Ses mains à elle devaient être trop resserrées pour pouvoir les mouvoir aussi haut. Après quelques tâtonnements, le tissu glissa finalement le long de son arête nasale. Andrew cligna des yeux. La cabane était plongée dans une pénombre trouée par des épées de lumière qui transperçaient les planches mal jointes. Leurs traits dorés coloraient le sol et transformaient la poussière en paillettes étincelantes. Le garçon libéra à son tour la vue de sa sœur. Celle-ci plissa les paupières, comme en proie à une migraine subite.

« Regarde, dit-elle, ils dorment. »

Les autres enfants ne bougeaient pas.

Lisa crut voir deux garçons et une fille, chacun silencieux dans un angle de la cabane. L'un des garçons avait du sang sur son pull. Ils étaient tous recroquevillés sur eux-mêmes, comme pour se faire plus petits encore, comme pour faire oublier leur présence. Leurs mains liées posées contre leurs chevilles, les cuisses ramenées contre la poitrine, leurs têtes appuyées sur leurs genoux. Cette pantomime immobile leur donnait l'aspect de statues d'enfants apeurés pour l'éternité. Lisa se demanda s'ils s'étaient positionnés ainsi d'eux-mêmes ou si on les avait aidés tant leurs postures semblaient identiques. Elle craignit un moment qu'ils ne soient morts, mais un mouvement léger de va-et-vient régulier parcourait leur poitrine.

— Je crois que j'ai fait pipi.

Lisa regarda son frère. En d'autres temps, en d'autres lieux, elle aurait fustigé son attitude de bébé et l'aurait grondé en se prenant pour une adulte. Mais ici, dans cette cabane où seuls les enfants semblaient exister, elle se contenta de sourire.

— Il n'y a aucun bruit autour de nous, pas de voiture, de voix. On doit être dans un endroit à l'écart.

— Peut-être que si on réveille les autres et que l'on crie tous ensemble, on nous entendra, suggéra Andrew.

— Oui, et sûrement que *lui* entendra… Je vais essayer de défaire tes liens, d'accord ? lui demanda-t-elle. Après, ce sera à ton tour.

La jeune fille tenta de se lever, mais les entraves autour de ses chevilles et de ses poignets rendaient la démarche impossible. Des fourmillements désagréables semblaient danser à l'intérieur même des veines de ses mains et de ses pieds. L'homme avait trop fortement serré ses liens et Lisa comprit que son sang ne circulait plus de manière suffisante vers ses extrémités. Elle ne pourrait libérer son frère, du moins pas avant d'avoir recouvré un certain afflux sanguin.

— Il va me falloir un peu de temps, murmura-t-elle, mes doigts ne m'obéissent pas.

— Qu'est-ce qu'il va nous faire ?

— J'en sais rien, j'en sais rien, mais ne crains rien, je serai toujours là pour te protéger.

— Tu ne diras rien à maman et papa ?

— De quoi parles-tu ?

— Si je fais aussi caca…

— Oh non, Andrew essaie de te retenir… Chuuut !

Les enfants entendirent un bruissement d'herbes hautes. Lisa vit les épées de flammes s'éteindre tour à tour alors que l'ombre, qui lui parut immense, longeait la cabane et voilait le soleil.

— Merde, souffla-t-elle en se penchant sur son frère, dents en avant pour lui remettre son bandeau.

Elle se servit de ses mains qui avaient en partie retrouvé leur mobilité pour repositionner le sien.

— Maintenant, silence complet ! lui susurra-t-elle. Et chie si tu en as envie !

Alors que le grincement d'un cadenas fatigué se faisait entendre, elle pensa aux autres enfants et copia leur position, ramenant ses jambes contre elle, cachant son visage contre ses genoux, imitant les statues de pierre immobiles et silencieuses. Puis elle ferma les yeux et se recroquevilla dans l'obscurité, chassant de son esprit la lumière poussiéreuse qu'elle venait de quitter.

29

Dimanche 17 mars 2013

Sarah chercha son radio-réveil, mais celui-ci avait disparu et elle le découvrit sur le sol, éloigné de son sommeil par une main bienveillante. Les rais de lumière perçaient toujours les ténèbres de la chambre. Elle s'était plus assoupie qu'endormie. Sans doute une demi-heure, pas plus.

Elle se leva, enfila ses pantoufles « têtes de lapin ». Elle n'aurait aucune gêne à expliquer à Stan qu'elle avait trouvé ces lapins amusants. En les découvrant à ses pieds six mois auparavant, Stéphane lui aussi avait vaguement souri, avant de se renfermer dans le confort télévisuel d'une émission quelconque. Ce qu'il faisait de plus en plus à cette époque. Feignant de s'intéresser à la reproduction des koalas (comme si la réponse à leur non-reproduction à *eux* pouvait s'y cacher) ou de se passionner pour des nanars de série B, il se terrait dans les profondeurs de la solitude.

L'odeur du café frais la guida vers le salon. Le canapé ne montrait aucune ride, pas plus que le plaid correctement plié dessus. Ils n'avaient soutenu le poids de personne cette nuit. Stan était toujours assis et penché au-dessus des dossiers. Sa cravate pendait de son col ouvert, ses gestes et son regard étaient las, mais pas épuisés. *Cet homme-là n'abandonnera pas*, se dit Sarah, et cette pensée la fit frissonner.

— Vous n'avez pas dormi, lança-t-elle en saisissant la tasse qu'il lui tendait.

— Pas vraiment.

— Écoutez… je suis désolée pour hier soir et je voulais…, commença la jeune femme en s'asseyant face à lui.

— Avez-vous déjà enquêté sur des crimes ou des enlèvements d'enfants ? la coupa-t-il d'une voix dénuée de tout reproche ou colère.

Elle comprit le non-dit : ce qui s'était passé était derrière eux. Son absence, son acte, l'appel à l'aide dans ses yeux lorsqu'elle avait ouvert la porte, il ne souhaitait pas en parler. Inconsciemment, elle posa sa main gauche sur la table. Le bandage qui jusque-là était resté caché fit son apparition et aucun des deux n'y jeta un regard.

Sarah hurla « merci » dans sa tête.

Sarah pensa sentiments ambivalents.

Sarah joua le jeu du pacte silencieux.

— Non, jamais, affirma-t-elle en avalant une gorgée de café.

— Même à Cleveland ?

— Même à Cleveland. Je n'ai aucun souvenir d'une quelconque affaire impliquant des enfants. Pourquoi ?

199

— Je dois vous parler d'une piste, annonça Stan en plongeant son regard dans le sien.

Sarah se sentit immédiatement mal à l'aise. Le visage de son collègue semblait différent, presque étranger… Une détermination sans faille luisait au fond de ses yeux.

— Allez-y, je vous écoute, prononça fébrilement Sarah.

Elle le vit hésiter, peser ses mots. Elle eut envie de retourner se coucher, de dormir des années, d'entendre une voix lui promettre qu'elle la protégerait toujours. Elle trouvait la situation inconfortable. Tout paraissait lui échapper. Elle enquêtait sur des disparitions d'enfants et en même temps sur son incapacité à en avoir. Elle acceptait un inconnu chez elle parce que plus personne de connu ne partageait ses nuits. Elle entendait des voix lui intimer de ne pas s'inquiéter alors qu'elle devinait qu'une autre s'apprêtait à dire le contraire. *Jusqu'à quel point la lumière peut-elle devenir poussiéreuse ?* se demanda-t-elle.

— Le Géant de brume marche sur vos pas.

Stan expira fortement. Il semblait désolé, mais persuadé de ses mots. Il saisit une feuille, l'étudia un court instant, laissa ses paroles faire leur chemin dans l'esprit de Sarah puis continua :

— Les crimes ont commencé lorsque vous êtes arrivée dans ce district. Je m'en souviens très bien puisque j'ai été le premier à me rendre sur les lieux. Quelques heures plus tard, je vous croisais dans la salle de gym.

— Vous n'êtes pas sérieux ?

Sarah était debout. À quel moment s'était-elle levée ? Avait-elle senti sur sa main la brûlure du café que son mouvement brusque avait en partie renversé ? Devinait-elle le cocktail d'incompréhension, de refus et de colère dans son propre regard ?

— Seize mois plus tard, vous étiez mutée aux narcotiques, à Cleveland. Les crimes à Détroit se sont arrêtés à cette période.

— Comment savez-vous à quelle date...

— J'ai passé des coups de fil cette nuit.

Et c'était vrai. Stan avait joint le responsable de Sarah à Cleveland, le capitaine Mark Brassus. Celui-ci avait vanté le travail de son ancienne recrue aux narcotiques, la qualifiant de prometteuse, bien qu'un peu distante et parfois « ailleurs ». Idem pour son coéquipier de l'époque, Gary Nevil, qui se souvenait d'une jeune femme pugnace et motivée.

— Je vous aurais donné tous les renseignements nécessaires si vous les aviez demandés ! lança Sarah d'une voix teintée de reproche. On était censés former un binôme et maintenant j'apprends que vous enquêtez derrière mon dos !

— Ce n'est pas le sujet, Sarah, et vous vous trompez, je n'enquête pas, je vérifie simplement une piste.

— Et qu'avez-vous trouvé de plus, « cher collègue » ?

Stan ne releva pas l'ironie. Il comprenait la colère de sa partenaire, mais ne pouvait s'engager dans des justifications futiles. Il aurait pu lui demander tout cela, c'était certain, mais hier soir la jeune femme était loin d'être en assez bonne forme pour répondre à des questions. Il ne le lui fit pas remarquer, revenir sur les événements de la veille ne ferait que la braquer un peu plus…

— Lors de votre formation à Cleveland, reprit-il d'une voix qu'il souhaita apaisante, il y a eu une tentative d'enlèvement à quelques blocs de votre central. Un enfant a failli être kidnappé juste devant son école. Des témoins parlent d'un van blanc Savana.

— Merde, un simple hasard…, pouffa Sarah de manière maladroite alors qu'elle arpentait le salon de long en large.

Ses mouvements rapides et circulaires rappelaient ceux d'un animal pris au piège, apeuré et esseulé.

— Les hasards représentent très souvent des indices, je ne vous l'apprends pas, imposa Stan en ne la quittant pas des yeux. Puis vous réapparaissez dans le douzième district de Détroit, en janvier.

— Et les enlèvements commencent quelques semaines plus tard…, lança Sarah d'une voix lourde de mécontentement.

— Exactement. Alors je vous repose la question : auriez-vous eu à mener une enquête en lien avec des enfants et qui se serait mal terminée ? Peut-être que quelqu'un veut vous faire payer une erreur ou au contraire une arrestation ?

— Vous savez que non, monsieur le juge. Si vous avez reconstitué mon parcours, je suis certaine que vous avez obtenu la description des différentes affaires que j'ai pu mener.

Sa colère était palpable. Elle se rassit pour faire face à l'accusation. Car elle avait la nauséeuse impression d'avoir été trompée et de se retrouver dans le box des accusés. Comment osait-il la mêler de près ou de loin aux mouvements et donc à l'existence de ce tueur d'enfants ?

— C'est exact, admit Stan. Et il n'y a aucun enfant nulle part.

Sarah fulminait. Elle se sentit trahie. Pourquoi ne lui avait-il tout simplement pas demandé tous ces détails plutôt que de travailler derrière son dos, sur son passé à elle ? Qu'avait-il découvert de plus ? Était-il remonté assez loin pour comprendre ? Pouvait-il avoir eu accès à ses séances de thérapie et à leurs comptes rendus ?

Calme-toi, Sarah, il n'a pas pu tout déterrer en une nuit, les gens dorment et les services sont fermés... Sa piste est troublante... Souviens-toi de ton état hier, aurais-tu pu communiquer ? Il t'a aidée, il a veillé sur toi, il t'a protégée... Peut-être est-ce le moment de parler...

— Vous faites erreur, il ne doit s'agir que de simples coïncidences, insista sans conviction la jeune femme, je ne vois pas pourquoi *moi.*

— Alors, prenons le problème à l'envers : pourquoi n'y a-t-il aucun enfant dans vos enquêtes ? Pourquoi avez-vous vainement essayé de dissuader Craig de vous mettre sur celle-ci ? De quoi avez-vous peur, Sarah ?

Merde, comment peut-il toujours poser les bonnes questions ? Tu es un homme étrange, Stan Mitchell, tu sembles percevoir les vérités enfouies sous les couvertures du passé... Comment le Géant a-t-il pu t'échapper...

— Des fantômes, lâcha Sarah, comme résignée.

Elle avait prononcé ces paroles sans vraiment s'en rendre compte. Le temps d'en prendre conscience, des larmes coulaient le long de ses joues. Elle ressentit soudainement un grand vide à l'intérieur d'elle-même. C'était comme si un poids immense s'était échappé en même temps que ces mots.

— Des fantômes ? Que voulez-vous dire par là ? demanda Stan, autant intrigué par cette phrase sibylline que par la fragilité subite affichée par sa partenaire.

— Nous sommes tous hantés, prononça faiblement celle-ci. Vous comme moi. Nous sommes ces maisons aux volets violentés par le vent que les habitants de cette ville fuient. Nous sommes les couloirs silencieux et leur peinture écaillée qui chute sur les parquets défoncés. Nous sommes ces cheminées désertées de toute chaleur. Nous sommes ces pièces vides hantées par les voix du passé. Vous le devenez lorsque vous parlez de votre fils. Je le vois à votre regard qui semble s'éteindre. Je le deviens à mon tour lorsque je parle de cet enfant que je n'aurai jamais. Les fantômes de nos espérances, de nos projets essoufflés, de nos sourires effacés, tous nous hantent. Certains plus fortement que d'autres. Voilà de quoi j'ai peur.

— Qui sont vos fantômes, Sarah ?

L'inspectrice essuya ses larmes d'un revers de main puis avala maladroitement une gorgée de café. Ses gestes étaient lourds, ralentis, comme ceux d'une personne essayant de nager tout habillée.

— À l'âge de quatorze ans, débuta-t-elle, mon père m'a dirigée vers une psychologue. On a tous un compagnon imaginaire dans notre enfance, c'est même très courant, un meilleur ami que nous nous créons afin de nous sentir intimes avec quelqu'un. Moi, ce n'était pas un lapin, ni un autre enfant dématérialisé. Il s'agissait d'une voix. Tout simplement. Sans corps autour. Une voix qui me murmurait des phrases, souvent identiques, et auxquelles j'étais incapable de donner un sens. Ce spectre bienveillant ne m'a pas quittée à l'adolescence, ce qui a alerté mon entourage. Le psy a diagnostiqué une schizophrénie légère accompagnée d'hallucinations auditives. Rien de grave, me direz-vous. Quelques séances à raconter mon passé, mon incompréhension du monde et mon sentiment de solitude. Mais la voix ne s'est jamais tue.

— Je ne comprends pas le lien avec votre « phobie » des enfants, avoua Stan après un court silence.

— C'est un *petit garçon* qui me parle, Stan. C'est *lui* qui me dit de ne pas avoir peur. *Il* me promet d'être toujours là pour me protéger alors qu'il n'y a aucun enfant dans ma vie, qu'aucune peluche ne traîne dans mon appartement, qu'aucune main malhabile ne me caresse le visage… Ainsi, me confronter à ce Géant de brume, à tous ces enfants ne fait que mettre en exergue mon manque le plus profond. Je n'ai pas peur des enfants, Stan, je les aime trop. J'enlace cette voix comme mon plus précieux trésor. Je tremble lorsqu'elle s'évanouit durant des semaines et je souris quand elle surgit d'un long sommeil. Je n'ai jamais eu envie de guérir, vous comprenez cela, ces hallucinations auditives n'en sont pas vraiment. Je sais que ce *garçon* qui me parle existe réellement, même si je comprends que c'est difficile à admettre pour les autres. Mais cette voix n'est pas qu'une voix. Cet *enfant* est réel.

— Est-ce de là que provient votre stérilité psychologique ?

— Peut-être. Je n'en sais rien.

— Vous parle-t-il encore ?

L'atmosphère s'était allégée. Les paroles étaient à présent murmurées. Au-dehors le trafic de ce début de matinée s'intensifiait. Quelques échos de coups de klaxon résonnaient jusque dans l'appartement. Trop peu nombreux pour une ville en bonne santé, mais suffisants pour une ville malade.

Sarah demeurait calme, le regard fixe, les larmes s'étaient apaisées également. La jeune femme eut la stupide impression de mieux respirer, plus librement. En la forçant à parler, en la poussant dans ses derniers retranchements, il l'avait obligée à se libérer d'un secret devenu trop lourd à porter.

— Savez-vous pourquoi j'ai accepté, malgré mes réticences, de vous suivre sur cette enquête ? lui demanda-t-elle.

— Pour mon charme ?

Le mot d'esprit fit naître de légers rictus sur les deux visages. Mais ils s'éventèrent rapidement, comme chassés par le souffle d'un fantôme.

— La voix est devenue plus forte, Stan, plus présente, presque réelle. Je pense que cet *enfant* souhaite plus que tout que l'on retrouve le Géant de brume. Et j'ignore encore pourquoi.

30

Dimanche 17 mars 2013

Le soleil se leva en tremblotant.

Il ne savait jamais ce qu'il allait éclairer en écartant ses bras dorés, et Détroit représentait depuis longtemps le paysage le plus incertain de son horizon. Ce qu'il vit ne le rassura guère : la pluie, les reflets huileux de son éclat sur les routes tuméfiées, les regards implorants des habitants lui quémandant chaleur, lumière, espoir. Les rues s'éveillaient à leur tour. Des mots résonnaient en leur sein, drogue, mort, viol, iniquité, désolation, expropriation, futur stérile, vie inutile, valises, départ, abandon, enfants disparus... Cette cacophonie de mauvais augure obscurcissait bien plus que les pensées de ceux qui les prononçaient. Elle semblait assombrir le ciel lui-même.

Sarah ferma la portière d'un geste rageur. Sa discussion avec Stan dansait encore dans ses oreilles. Elle se sentait trahie. D'un autre côté, elle lui était reconnaissante d'avoir passé la nuit à son chevet, d'avoir pansé ses plaies et de lui avoir promis le silence sur cet incident. Même Stéphane ne l'aurait pas fait. Il serait parti en pleine nuit ou se serait endormi en se persuadant que tout irait bien. Jamais il n'aurait pensé à déplacer le radio-réveil. Seul son sommeil à lui l'intéressait. La douceur et la gratuité de ce geste lui seraient restées un mystère.

Alors pourquoi ? Pourquoi avoir agi derrière mon dos de la sorte ?

Elle expira lourdement. La pluie inondait son pare-brise et tambourinait sur la carcasse métallique de sa voiture banalisée.

Il a agi ainsi parce que... parce que... Molosse... Il ne lâche rien, il emprunte toutes les voies possibles... Détroit-Cleveland-Détroit.

Une simple coïncidence... Pourquoi le Géant de brume en aurait-il après moi ? Tellement ridicule...

L'inspectrice fit démarrer le véhicule. Arrivée en bas de son appartement, elle avait prévenu Stan qu'elle se rendrait toute la journée auprès des familles des disparus afin de vérifier leurs dépositions. Elle espérait ainsi s'éloigner de la rigidité des interrogatoires de police pour établir une relation moins méfiante. Peut-être obtenir des détails qui n'étaient pas inscrits dans les comptes rendus et qui pourraient être utiles à l'enquête. Stan quant à lui devait rester au central et croiser les éléments de l'ancienne affaire avec celle-ci. Maintenant que son supérieur lui avait donné carte blanche, il pouvait ressortir la totalité des vieux dossiers et les utiliser. En cas de trouvaille, ils seraient recevables juridiquement.

Tous deux se quittèrent maladroitement.

Comme deux coupables.

Ou comme deux enfants n'osant affronter le regard de l'autre.

Stan reconnut intérieurement avoir été trop loin. D'une certaine manière, il s'en voulait, mais il n'avait pas eu le choix. De plus, avec les récents événements, il ne pouvait nier que l'aura de mystère qui entourait sa collègue l'intriguait. Il avait confiance en elle, bien sûr. Mais il soupçonnait une part d'ombre dans laquelle la jeune femme se figeait. Les plaies sur son poignet le lui confirmaient. Les coupures n'étaient pas mortelles, un simple appel à l'aide. *Mais combien de temps ?* se demanda-t-il en la regardant se diriger vers sa voiture. *Combien de temps avant que l'appel à l'aide ne se transforme en hurlement et n'entaille trop loin son âme ?*

Et puis cette voix… Qu'en penser ? Stan avait décidé d'en savoir plus, pas simplement par professionnalisme, s'était-il avoué, mais parce qu'il tenait sincèrement à elle. Il souhaitait attraper le Géant de brume, libérer les enfants et laisser les autres dormir en paix. Il voulait capturer de nouveaux sourires sur le visage de Sarah et faire taire la voix, car, et elle l'avait précisé elle-même, tout semblait lié.

Sarah regarda le véhicule de Stan quitter le parking en repensant à l'infirmière, la grande rousse : elle avait l'impression de l'avoir déjà vue quelque part, mais ne parvenait pas à mettre un lieu ni même une époque sur ce souvenir. Elle avait malgré tout croisé des œillades entre Stan et Mary, des regards qui ne laissaient aucun doute sur la nature d'une relation actuelle ou passée. Cette pensée la mit mal à l'aise. Une curiosité grandissante lui enivra l'esprit : elle aurait voulu savoir immédiatement ce qui se tramait entre eux deux. Elle aurait souhaité qu'il lui explique pourquoi à plusieurs reprises ses yeux avaient tenu tête à ceux de l'infirmière en s'y plongeant trop longuement. Sarah essaya de se rappeler si Stan avait évoqué à un moment ou à un autre une quelconque relation. Mais mis à part le fait qu'il avait un fils qui vivait à Washington, elle se rendit compte qu'elle ne savait presque rien sur lui.

Si ce n'était qu'il ne lâchait rien.

Et Sarah se sentit stupide d'espérer que Stan puisse lâcher les souvenirs de ses amours passées.

Simon Duggan observait le parc avec attention. Les enfants innocents et joyeux semblaient sourire aux anges. De son van blanc, il put repérer sa prochaine cible. Tous les mercredis, la belle-mère de la petite Salie passait son après-midi avec d'autres femmes à discuter à l'ombre rassurante d'un grand chêne. Sa fille, puisque c'était ainsi qu'elle l'appelait à présent, s'amusait avec ses amies dans les constructions en bois situées un peu plus loin.

Simon avait compris très rapidement avec quelle facilité il pouvait enlever un enfant. C'était comme cueillir une fleur dans un champ. Il suffisait de se pencher à hauteur, de sourire et d'agir.

Ce matin, avant de quitter la maison, il avait resserré

les liens des deux derniers arrivés et vérifié ceux des autres. Après leur avoir donné des sandwichs, il les avait contemplés en silence tandis qu'ils mangeaient, comme il aimait tant le faire. Dans ces moments, il recroquevillait son corps de géant dans un coin sombre de la cabane et devenait invisible. Les bouches avaient mastiqué avec avidité et les gorges s'étaient abreuvées de l'eau mise à disposition dans de petites bouteilles. Ensuite, des larmes étaient apparues chez certains, tandis que d'autres gémissaient des « Papa » incantatoires. L'odeur de merde et d'urine se faisait de plus en plus présente. Simon ne pouvait prendre le risque de les faire sortir de la cabane pour les emmener dans sa maison afin qu'ils assouvissent leurs besoins naturels. Les journaux parlaient déjà de lui. « Le Géant de brume est de retour ! » titrait l'un d'eux. Un article précisait les noms des deux inspecteurs chargés de l'enquête : Sarah Berkhamp et Stan Mitchell.

L'ironie de l'histoire le fit sourire.

Sans doute vont-ils bientôt sonner à ma porte, se dit-il en enfilant une paire de gants en latex.

Mais cela aussi faisait partie du plan.

31

Dimanche 17 mars 2013

Sarah se gara en face du pavillon des Munfild.

Elle se rappela son premier entretien avec la mère et la nonchalance qu'elle avait ressentie dans ses propos. Officiellement, il s'agissait toujours d'une fugue, même si dans l'esprit de la police la jeune Madie devait être considérée comme la première victime du Géant. Mais les parents se bornaient à penser que la fillette s'était simplement enfuie et qu'elle reviendrait. Ils n'avaient pas signé l'autorisation nécessaire au plan Amber Alert[1], ignorant le temps précieux et les moyens conséquents que pourrait leur apporter ce dispositif.

L'inspecteur Berkhamp frappa à la porte. Le porche en mauvais état ne la protégeait que partiellement de la pluie. Le vent soufflait sur sa peau une bruine mal-

---

1. Ambert Alert est le dispositif mis en place dans de nombreux États visant à alerter la population civile de l'enlèvement d'un mineur au travers des médias.

saine qui lui caressait les joues. Elle hésita à faire demi-tour. *Pour aller où ?* se raisonna-t-elle.

Elle n'avait pas envie d'être ici.

Elle n'avait pas envie d'être seule chez elle.

Elle n'avait pas envie de se trouver dans la même pièce que Stan.

Elle s'imagina un lieu neutre où elle pourrait se sentir en sécurité. Une cabane perdue se dressa, auréolée d'herbes sauvages. Elle entendit une voix au loin. Mais ce n'était pas celle qu'elle avait l'habitude de percevoir. Il s'agissait de Stan.

Détroit-Cleveland-Détroit.

La voix ne te protégera nullement, partenaire. Elle n'existe pas. Les fantômes n'existent pas. Pas plus que les hasards.

Détroit-Cleveland-Détroit.

Si nous parlions un peu de toi, Sarah ? Si tu me racontais ton histoire ? Celle dont tu ne te souviens que partiellement, celle que tu as tellement souhaité oublier que tu y es arrivée. Ce passé que tu enfermes dans un placard en l'appelant « fantôme ». Celui qui se dessine sur ton poignet en une cartographie de souffrance et de sang.

— Ce… ce n'est pas…, commença à articuler la jeune femme lorsque la porte s'ouvrit brutalement.

— Encore vous ?

Même robe crasseuse. Même chevelure fatiguée. Même regard vague en pleine descente.

— Inspecteur Berkhamp, oui, encore moi, encore celle qui essaie de retrouver votre fille.

— Que voulez-vous ? J'ai répondu à toutes les

questions ! Un flic est venu au travail de mon mari pour l'interroger. Devant ses collègues ! pesta la mère de famille.

— Écoutez, ce qui m'importe, c'est de savoir où se trouve votre enfant et…

— Alors patrouillez dans la rue au lieu de me faire perdre mon temps !

Elle s'apprêtait à refermer la porte lorsque Sarah s'avança et cala son pied de manière à bloquer la manœuvre. Une lueur de défi étincela dans le regard de la mère. Sarah eut envie de lui faire avaler son air arrogant. *Peut-être plus tard, reste concentrée sur les enfants…*, se raisonna-t-elle.

— Madame, je… nous ne pensons pas que votre fille ait fugué. Vous avez entendu parler du Géant de brume ?

— Oui, inspecteur, et aussi de Barbe rousse, de Hansel et Gretel et du Petit Poucet.

— Il ne s'agit pas d'une légende…

— Je connais cette gamine, mieux que vous ne connaissez ces légendes. Que voulez-vous ? Ce n'est qu'une petite Black qui s'est enfuie et qui reviendra quand elle aura faim, expliqua-t-elle d'un haussement d'épaules.

Bon sang, se dit Sarah, *cette femme se contrefiche de ce qu'il peut arriver à sa gamine. Elle est aussi coupable qu'un assassin…*

— Madame Munfild, il s'agit de votre fille, comment pouvez-vous…

— Inspecteur Blanche-Neige, s'amusa celle-ci, entendez-vous les cris et reniflements derrière moi ?

J'ai six mioches à gérer. Trois sont de moi. Le reste ne m'appartient pas : c'est le résultat de rencontres de leur père avec des salopes qui lui ont laissé ces « incidents d'une nuit » sur les bras. Madie n'est pas de moi. Elle est l'aînée. Qu'elle ait fugué ou non, je dois encore m'occuper de six gamins. Et ça, c'est pas une légende, c'est la réalité. Alors je vous le dis : votre Géant de brume n'a enlevé personne ici. Les légendes ne s'arrêtent pas dans ce quartier. Madie reviendra. Ou peut-être pas. Dans tous les cas, notre conversation est terminée. Les six morveux présents ont besoin de moi.

Un visage haineux disparaissant derrière la porte et le claquement violent de celle-ci marquèrent la fin de la discussion. Sarah resta quelques secondes sans bouger, fixant le bois dont la lasure s'effritait. Elle eut envie de cogner de nouveau et de cracher à la figure de cette femme toute la colère qui bouillait en elle. *Non, Stéphane n'avait pas le droit de me quitter, tout comme Stan n'avait pas le droit d'enquêter sur moi sans me prévenir, et tout comme vous, pauvre merde, n'avez pas le droit d'être indifférente au malheur d'une enfant ! Le fait de ne pas être sa mère ne vous donne nullement le pouvoir d'effacer d'un revers de main la probabilité d'un enlèvement et d'une mort prochaine !*

En descendant les marches, poings serrés, elle lutta contre l'envie d'appeler les services sociaux pour leur signaler l'adresse de cette femme. Peut-être le ferait-elle d'une cabine, de manière anonyme, car il fallait tout de même plus qu'un dégoût et une colère pour qu'ils se déplacent, et les fausses déclarations étaient passibles d'une amende. *Cependant, une visite des stups serait envisageable…*, sourit Sarah en dépliant les mains pour ouvrir sa voiture.

Stan passa chez lui avant de se rendre au central.

Il prit une douche, enfila un jean et avala un café avant de fermer les portes d'un appartement qui lui semblait de plus en plus étranger. Pendant sa liaison avec Mary, il lui arrivait de découcher durant une semaine entière et de laisser son chez-soi plongé dans l'obscurité et l'expectative. Puis il revenait, lassé, fatigué, et s'échouait sur les rives d'un ersatz de refuge. En ce moment, ses nuits étaient courtes, rythmées par le souffle menaçant du Géant de brume et par la respiration absente de son fils. Entre les deux, Sarah faisait son apparition. La pensée de ce triptyque shakespearien le fit sourire. Dans un conte de fées, il tuerait le Géant, épouserait la princesse et récupérerait son fils. À Détroit, il errait dans la brume, s'interrogeait sur la santé mentale de la princesse et laissait un inconnu acheter une console et embrasser Peter à sa place.

En arrivant dans la salle de travail, il remarqua les tasses de café froid ainsi que le cendrier plein à ras bord. Daniel et Phillip avaient sans aucun doute passé la nuit ici. Sur la table, face à l'endroit où Stan s'asseyait d'habitude, une enveloppe l'attendait, mar-

quée à son prénom. Il l'ouvrit et découvrit une liste de
noms, accompagnée d'un message :

> 126. Tous les vans blancs de Détroit et non déclarés
> en qualité de véhicule commercial. Avons essayé de
> vous joindre cette nuit, mais silence radio. Idem pour
> Sarah. Sommes en salle de repos. Réveillez-nous si
> vous trouvez l'assassin de Kennedy. Bon courage.

L'inspecteur se rappela avoir mis son portable en
veille après l'obtention des renseignements concernant
Sarah. Il avait même éteint celui de sa coéquipière afin
qu'elle puisse récupérer sans être dérangée. Stan s'assit lourdement après être allé chercher un café. Vérifier l'ensemble de ces données allait prendre beaucoup
de temps. Les deux agents avaient fait du bon boulot.
Il décida de les laisser se reposer et sortit les anciens
dossiers.

126.

L'étau se resserrait.

Il commença à lire les noms.

— Voulez-vous une tasse de café ?

Sarah était assise dans le salon, en compagnie des
parents de Charlie. Le père arborait un visage gris,
des traits émaciés, et son regard paraissait se perdre
dans un autre univers. Sa femme, Lucie, s'efforçait
d'agir normalement, même si ses mains tremblèrent
en versant le café.

— Je sais que c'est difficile pour vous et je ne resterai pas longtemps, commença Sarah. Ce ne sont que de simples questions. Nous mettons tout en œuvre pour retrouver votre fils. Une cellule spéciale dont je suis responsable a été créée. Nous y parviendrons.

— C'est un gentil garçon, il n'a jamais fait de mal à quiconque, lança la mère sans qu'aucune remarque ait été prononcée à ce sujet. Je ne sais pas pourquoi je dis ça, c'est stupide. On s'emploie tellement à leur promettre que s'ils sont sages rien ne leur arrivera…

— Je comprends, murmura l'inspectrice.

— Vous voulez que je recommence depuis le début, que je vous explique comment cela s'est déroulé, depuis le chocolat renversé ? intervint Patrick Stevenson.

Sa voix était fatiguée, il ne quittait pas sa tasse du regard. Une partie de son esprit avait disparu avec son fils.

— Non, merci, ce sera inutile. Votre déposition est très complète.

— Je n'aurais jamais dû prévenir les médias, mais l'attente au 911 est de plus d'une demi-heure. J'ai paniqué. Ce sont les personnes autour qui m'ont soufflé ce choix, se justifia le père.

— Je suis certaine que vous avez pensé bien faire. Il n'est plus temps de vous reprocher quoi que ce soit. Vous devez être fort pour votre fils.

— Alors que voulez-vous, inspecteur ? demanda la mère.

— Je souhaiterais juste savoir si vous aviez remarqué un comportement bizarre chez votre fils durant les jours précédant l'enlèvement. Si vous le trouviez préoccupé, anxieux, s'il traînait avec de nouveaux copains ou s'il rentrait un peu plus tard.

Sarah observa la pièce. Peu de choses avaient changé depuis sa première visite. Des cartons peut-être un peu plus nombreux jonchaient le sol. Les cadres avaient été retirés des murs et leur absence laissait des rectangles décolorés sur le papier peint. Une lumière blafarde obliquait depuis la fenêtre ajourée pour s'échouer sur la moquette usée. *La vie n'existe plus ici*, songea Sarah.

— Non, nous n'avons rien remarqué de… différent, répondit la mère après un court instant de réflexion.

— Il doit revenir, inspecteur… Nous serons expulsés prochainement, la banque n'a rien voulu savoir…, intervint le mari d'un débit rapide et nerveux.

— Monsieur Stevenson, nous allons y arriver. Nous travaillons sur plusieurs pistes. Gardez confiance.

L'inspectrice essaya de les rassurer. Mais pas un ne sembla écouter ses paroles. Trois personnes réunies dans une même pièce, mais trois personnes retranchées dans un monde différent. Le père revivait continuellement ces quelques minutes durant lesquelles son fils avait disparu, comme le bégaiement insoutenable d'un disque rayé. Se demandant pourquoi. Se demandant comment. Se demandant s'il s'agissait là de la volonté de Dieu ou de celle du diable. Mme Stevenson cachait sa douleur derrière le masque de la normalité. Elle croyait sans aucun doute que faiblir serait comme enterrer un peu plus profondément son fils. Elle s'évertuait à proposer du café comme elle l'aurait fait un jour normal. Elle croisait les jambes et se tenait droite dans son fauteuil pour ne pas se recroqueviller dans le désespoir comme son mari. Si les événements devenaient tragiques, elle serait la première à se briser et à poser un canon dans sa bouche. Et puis Sarah, elle, jouait un jeu de dupes en tentant d'apporter un peu d'espoir. Mais ses propres paroles lui devenaient de plus en plus étrangères.

— Je… je ne veux pas le perdre… j'ai déjà perdu sa mère… alors je ne veux pas…, balbutia Patrick en tenant son visage entre ses mains.

Sarah lança un regard interrogateur en direction de sa femme. Celle-ci avala une gorgée de café, reposa lentement la tasse sur la table et afficha un sourire d'une tristesse non feinte.

— La maman de Charlie est morte en couches, expliqua-t-elle face à l'incompréhension visible de Sarah. Hémorragie du post-partum, comme ils disent.

— Je suis désolée… je l'ignorais, bredouilla Sarah en posant sa main sur le bras du père.

— On s'est rencontrés deux ans plus tard, continua Lucie d'une voix monocorde. Patrick s'occupait très bien de son fils. Je suis immédiatement tombée amoureuse. Les débuts ont été difficiles, mais nous nous sommes accrochés et avons finalement réussi à former une vraie famille. Charlie ne l'a jamais su. Nous avons pris cette décision ensemble, avec Patrick. Il s'agissait surtout d'éviter une souffrance inutile et irréparable à Charlie. Parfois les mensonges se révèlent être de meilleurs pansements que la vérité. Pour lui, je suis sa mère, et il est l'enfant que j'ai toujours rêvé d'avoir.

Les yeux de Stan le piquèrent. Les noms étaient inscrits en caractères de taille ridicule, il lui aurait fallu cette paire de lunettes qu'il refusait depuis quelques années déjà. Il en avait lu une soixantaine lorsqu'il s'octroya une autre pause-café. Il se frotta les paupières tandis que les différentes identités virevoltaient dans son esprit. Toutes lui étaient inconnues. Certaines possédaient un casier judiciaire pour divers méfaits, mais rien concernant des agressions ou viols sur mineur.

Stan se dirigeait vers le distributeur de boissons lorsqu'il croisa le capitaine Craig. Il songea à reculer, à ne pas lui en parler, à ne pas utiliser cette voie dangereuse, mais n'en fit rien. Il voulait la délivrer.

— Capitaine, j'aurais une faveur à vous demander.

— Une faveur ? Inspecteur Mitchell, je pense que vous avez dépassé votre quota de faveurs, non ?

— C'est sérieux, capitaine.

— Où en est l'enquête ? Stan, dites-moi que vous avancez, la presse me tient par les couilles. Ça, c'est du sérieux.

— Nous travaillons sur plusieurs pistes.

— Vous travaillez en dormant ? ironisa Craig en cherchant de la monnaie dans sa poche.

— Pardon ?

— La moitié de votre équipe bave sur le canapé de la salle de repos, remarqua-t-il en insérant une pièce dans le distributeur.

— Les agents ont bossé toute la nuit. L'étau se resserre, nous allons le trouver, se défendit Stan.

— On risque tous notre tête sur cette affaire, vous le savez, vous l'avez déjà vécu. Mais cette fois ce sera pire si vous échouez.

— Je sais, capitaine, mais j'ai le sentiment que…

— Oh merde, vous vous mettez à parler comme Berkhamp ! Sentiment, impression, sixième sens, voix… Bordel ! Apportez-moi la tête de cet enculé sur mon bureau, c'est tout ce que je vous demande !

Hanz Craig aurait souhaité ne pas parler si fort, ne pas être aussi agressif envers Stan, tout comme il aurait souhaité ne pas frapper du pied le distributeur de boissons. Il leva les mains en guise d'excuse, se saisit du gobelet en plastique et le sirota silencieusement. Stan laissa la colère retomber. Il connaissait assez le capitaine pour ne pas se vexer chaque fois que celui-ci poussait une gueulante.

— Capitaine, il faudrait que j'aie accès au dossier de Sarah.

— Excusez-moi ? faillit s'étouffer Craig.

— L'intégralité du dossier. Médical, familial…

— C'est quoi cette connerie ? Vous pensez que c'est elle qui enlève les enfants ? railla le capitaine.

— J'ai l'impression… pardon, la… conviction que le tueur lui est attaché. Ce que je veux dire, c'est que, depuis des années, il suit ses déplacements et kidnappe les gosses à quelques rues de l'endroit où elle se trouve.

— Putain, vous êtes donc sérieux ? demanda Craig en jetant son café dans la poubelle.

— Tout à fait.

— Et elle est au courant de ce que vous faites ?

— En partie. Mais pas cette partie-là, avoua Stan.

— Les dossiers ne peuvent être consultés que par les médecins et les supérieurs hiérarchiques, vous le savez, c'est le règlement…

— Et par les inspecteurs si le supérieur hiérarchique juge que l'étude du dossier peut aider à résoudre une enquête.

— Bon sang, Stan, sur quoi fondez-vous votre demande ?

Il lui expliqua que les mouvements du Géant de brume correspondaient aux affectations de Sarah. Il lui exposa le rapport ambigu qu'entretenait sa collègue avec les enfants, sa répulsion à l'idée d'être mêlée à l'enquête, sa fragilité. Stan garda sous silence sa tentative de suicide, il étouffa dans sa gorge la voix qui pressait Sarah de trouver le meurtrier.

— C'est assez mince pour une demande de ce genre, maugréa le capitaine.

— Ce n'est peut-être rien, se défendit Stan, mais c'est une piste comme une autre. Et le temps s'enfuit.

— Le FBI s'intéresse déjà à l'affaire. J'ai reçu une requête d'information. Comme vous dites, le temps presse.

— Capitaine, je ne vous le demanderais pas si je n'avais pas vraiment une bonne raison. Je voudrais juste lire son dossier, c'est l'histoire de quelques heures, elle n'en saura rien et, au moins, je pourrai

224

écarter l'hypothèse que le Géant de brume ait un quelconque rapport avec elle.

— Je vous ai donné carte blanche, inspecteur. Cela ne signifie pas que j'aie une confiance aveugle en vos manières, mais simplement que je pense que personne d'autre dans ce central n'a autant de raisons que vous de retrouver cet enfoiré. Je vous fournirai ces documents, mais dépêchez-vous de me donner de quoi alimenter les espoirs.

Stan observa le capitaine s'en retourner dans son bureau. Il ne savait jamais quoi penser de cet homme. Parfois il lui semblait être un véritable salaud, un simple bureaucrate arriviste qui se foutait des policiers présents sur le terrain. Mais de temps en temps, il décelait comme une étincelle de compréhension dans son regard, presque un désir inavoué d'être plus proche de ses troupes. Stan prit le café qu'il venait de sélectionner et retourna s'asseoir.

Plus qu'une soixantaine de noms, s'encouragea-t-il.

32

Dimanche 17 mars 2013

Sarah refusa le thé qu'on lui proposa. L'intérieur de l'appartement était luxueux et contrastait violemment avec les habitations des précédentes familles. Les parents des deux enfants disparus l'accueillirent dans l'espoir de recevoir de bonnes nouvelles, mais rapidement la déception les fit se retrancher derrière une douleur silencieuse. Ils s'assirent côte à côte dans le grand canapé, face au fauteuil où Sarah avait pris place, et attendirent les questions comme des condamnés attendent la sentence.

— Je vous remercie de m'accorder un peu de votre temps, débuta-t-elle d'une voix douce qui se voulait rassurante. L'enquête avance, même si nous n'avons pas de suspect précis, nous travaillons nuit et jour afin de retrouver rapidement vos enfants.

Menteuse, tu n'as rien à proposer, pas de miracle. Tu viens ici les mains vides et tes paroles sonnent comme les arguments d'un vendeur de porte-à-porte.

— C'est ma faute, murmura la mère. Je les ai

envoyés faire une course en bas. J'aurais dû y aller moi-même, mais ils étaient si excités à l'idée que je les laisse agir comme des grands.

— Vous blâmer ne servira à rien, madame Plenner. Personne ne pouvait deviner ce qui arriverait à Lisa et à Andrew.

Tout le monde pouvait et devait s'en douter. L'histoire se répète. Seuls les sourds et les fous peuvent l'ignorer.

— Quelles sont vos pistes, inspecteur ? demanda Franck Plenner.

— Je ne suis malheureusement pas autorisée à en parler. Je suis désolée.

— Je comprends. Vous croyez qu'il est revenu ?

— Qui donc ?

— Ce Géant de brume qui s'invite dans toute la presse.

— Je n'en sais rien, c'est possible, répondit laconiquement Sarah.

Tu le sais très bien. La vérité est un volcan que tu essaies d'éteindre avec tes mains de suicidaire. Dis-leur, Sarah. Dis-leur que le Géant de brume risque de bientôt écraser la carotide de leurs enfants. Explique-leur le manque d'oxygène, la mort lente et suffocante. Raconte-leur que leurs enfants attendent que papa et maman surgissent pour les sauver, qu'ils ne comprennent pas leur absence et que cette incompréhension va les accompagner jusqu'au dernier souffle d'une vie trop courte.

— Ce qui signifierait que c'est à cause de votre inefficacité de l'époque que des gamins disparaissent aujourd'hui ? souligna le père d'un ton qui suggérait plus une constatation qu'une accusation.

— Écoutez, monsieur, je respecte votre angoisse et les sentiments que toute cette affaire peut vous inspirer mais, croyez-moi, nous faisons tout notre possible pour que les erreurs du passé ne soient pas répétées.

Sans s'en apercevoir, Sarah caressa les stigmates de son poignet gauche. *Les erreurs du passé. S'agit-il de cela ?* se demanda-t-elle en surprenant son geste. Stan n'écartait-il aucune piste – au point de se renseigner sur sa coéquipière – pour justement ne pas reproduire ses propres erreurs ?

— Inspecteur Berkhamp ?

— Oui... pardonnez-moi, je réfléchissais à quelque chose.

— Non, c'est moi qui m'excuse, reprit Franck, je ne voulais pas me montrer impoli... je suis sur les nerfs.

— Ce n'est rien. C'est tout à fait normal.

— Il y a... Il y a un détail que nous n'avons pas donné à la police, précisa Stacy Plenner. Cela ne nous semblait pas très important sur le coup, mais, à présent que vous êtes ici, nous devons peut-être le faire.

— Je vous écoute.

Stacy hésitait. Son mari posa une main sur la sienne pour l'encourager à parler. Sarah s'avança un peu au bord de son fauteuil et se pencha légèrement en avant afin de bien entendre :

— Il s'agit de... l'affaire est surmédiatisée, des journalistes nous demandent sans cesse des interviews, la télévision campe dans notre rue, ils fouillent

228

dans le passé pour trouver des accroches. Et bien que nous n'ayons rien à nous reprocher, nous devons tout de même vous en parler.

— Qu'y a-t-il ? prononça Sarah d'une voix un peu trop impatiente.

— Lisa et Andrew sont très proches, reprit la mère, un lien très fort les unit et ce n'est pas celui auquel vous pensez.

— Je ne comprends pas... c'est normal qu'ils soient liés, ils sont frère et sœur, que voulez-vous...

Ressens-tu l'odeur de l'herbe humide à présent ? Te souviens-tu des silhouettes dessinées à la craie ? Soupçonnes-tu ma présence le long de ta colonne ver-tébrale ?

— Justement non. Andrew n'est pas le frère de Lisa. C'est ce qu'on leur fait croire depuis toujours, mais ce n'est pas le cas.

— Ma première femme a accouché il y a dix ans à l'ancien hôpital de Détroit, expliqua à son tour Franck Plenner sous le regard bienveillant de Stacy. Elle n'a pas survécu. Elle a fait une hémorragie postnatale que les infirmiers n'ont pas pu soigner.

— Je suis désolée, prononça faiblement Sarah.

Un goût étrange lui envahit la bouche. Elle tenta de déglutir, mais n'y parvint pas.

Tu y es presque, Sarah. Tes connexions neuronales s'excitent. Tu devines un chemin au-delà de la brume. Je serai toujours là pour te protéger.

— Stacy et moi nous sommes rencontrés quelque temps après. Je n'aurais jamais cru pouvoir aimer encore. Lisa avait à peine dix-huit mois lorsque Stacy est tombée enceinte. Nous avons jugé meilleur pour Lisa qu'elle ait elle aussi une mère.

— Vous voulez dire que...

— Que Lisa croit que je suis sa mère, confirma Stacy. Tout comme elle pense qu'Andrew est son frère. Et je les élève comme si tous les deux étaient sortis de mon ventre. Je les aime de la même manière.

— C'est ce secret que nous ne souhaitons pas qu'ils découvrent. Ni nos enfants ni la presse. Cela affecterait profondément Lisa, prévint Franck.

— Nom de Dieu..., murmura Sarah dont le rythme cardiaque venait de s'intensifier brutalement.

— Je vous demande pardon, inspecteur ?

— Non... euh, rien..., balbutia-t-elle en se levant. Je dois y aller, vous m'avez été très utiles, merci pour votre temps.

Sarah se rua à l'intérieur de son véhicule et arracha l'émetteur du socle de la radio.

Tu y es, Sarah... Tu te rapproches...

— Ici l'inspecteur Berkhamp, j'ai besoin d'une information prioritaire, à vous.

— Je vous écoute, à vous.

— Renseignement d'état civil de Damien Rivon, disparu le 9 mars dernier.

— Je consulte l'ordinateur, terminé.

Te souviens-tu des silhouettes dessinées à la craie ?

— Inspecteur Berkhamp ?

— Allez-y, à vous.

— Damien Rivon, né le 21 mars 2004. Père Vincent

Rivon, 41 ans. Mère Daniella Souza, décédée le 23 mars 2004. Terminé.

Stan continuait sa lecture de la litanie des propriétaires de van, espérant toujours tomber sur une identité connue, lorsqu'il reçut l'appel de Sarah :

— Où êtes-vous, Sarah ? Il faudrait que l'on vérifie l'ensemble des casiers de la liste que j'ai sous le...

— Elles sont toutes mortes pendant ou après l'accouchement !

Sa voix était hystérique, presque méconnaissable.

— De quoi... de qui parlez-vous, calmez-vous ! lui intima Stan.

— Les mères des enfants disparus ! Elles sont toutes décédées ! Voilà comment il choisit ses victimes !

— Comment... attendez... les dépositions n'indiquent pas...

— Foutaise ! Nous ne nous sommes pas attardés sur la généalogie, nous n'avions aucune raison de remettre en question ce que les parents nous fournissaient comme informations !

— Il faut que je vérifie dans les anciens dossiers si cela concorde, tempéra Stan.

— Je viens de le faire par radio, bordel ! En 1998, aucune des mères n'était vivante !

— Qu'est-ce que ça signifie...

— Ça signifie que vous aviez vu juste, depuis le début ! C'est bien lui. Le Géant de brume est de retour. Et on sait comment il choisit ses victimes.

Stan raccrocha, se sentit soudainement perdu. Ce que venait de dire Sarah lui laissait plus d'interrogations que de réponses. Des mères décédées. C'était là la première piste concrète qu'ils avaient. Comment avait-il pu la rater ? Et si cela les menait à l'assassin, se le pardonnerait-il ? Tuer des enfants qui ont déjà perdu leur mère ? À quelle sorte de criminel s'attaquaient-ils ?

Il avala une gorgée de café en se concentrant sur les propos de sa partenaire. Il n'y avait plus aucune trace de reproche ni de contrariété dans sa voix. Elle avait retrouvé son intonation ferme et décidée. *Comment une femme peut-elle passer d'un état léthargique, suicidaire, à un tel enthousiasme ?* se demanda-t-il. L'instabilité de Sarah l'inquiétait. Et si cette piste ne menait nulle part, devrait-il faire le guet dans son appartement et retirer tout objet contondant ? Il se mit à croire lui aussi que le capitaine n'aurait pas dû lui confier l'affaire, que l'insistance de l'inspectrice pour ne pas en faire partie aurait dû être prise au sérieux. Il recevait les conclusions de Sarah avec une certaine crainte, comme si une voix intérieure le mettait en garde, le prévenant que le chemin qu'ils allaient emprunter les dirigerait vers une destination sans retour.

Stan décida de continuer sa lecture en attendant Sarah. Même si des questions fusaient dans son esprit, il se concentra sur la liste et les noms restants.

– Phil Canama
– Sander Bolee

Dans la légende, le Géant de brume punit les enfants...

- Alexander Vissan
- Violette Sanders
- Phillip Cruig

Mais pas les parents. Pourquoi fait-il cela ?

- Tom Bennal
- Vanessa Hudge
- Tyler Robinson
- Franck Senpers

Il faut que je contacte Mary, il faut qu'elle me fournisse une liste des mères décédées...

- Peter Nort
- Lance Mc Kenzie
- Larry Glent
- Adam Anterton
- Franck Sullivan

Accéder au dossier de Sarah, elle ne va pas bien... Les prochaines vacances scolaires, merde, n'est-ce pas bientôt que mon fils doit venir...

- Olivia Popers
- Dimitri Vegue
- Simon Duggan

Je dois appeler sa mère pour les dates, il faut... Putain !

- Simon Duggan.

33

Dimanche 17 mars 2013

Simon Duggan claqua la portière et se dirigea vers le parc. La pluie avait cessé de tomber, mais des nuages teintés d'un blanc pollué obscurcissaient le ciel. Il traversa 8 Mile Road en prenant soin d'enfouir ses mains gantées dans les poches de sa veste de sport. Les cris joyeux des gamins l'accueillirent alors qu'il fermait derrière lui la grille de l'entrée.

Il passa devant les mères qui ne firent pas attention à lui, malgré sa silhouette imposante. Il connaissait bien ce parc. La cabane n'était pas très loin. Il y avait une deuxième entrée, à l'opposé des parents, derrière un talus. Il agirait rapidement. Même si l'une des femmes le voyait, il lui faudrait courir extrêmement vite pour le rattraper. Et elles portaient toutes des talons. De plus, le temps qu'elle comprenne ce qui se passait et qu'elle se lève, Simon serait déjà sorti par l'autre côté. Où son van l'attendait.

Les caméras se focalisaient sur les intersections. Elles semblaient en état de fonctionnement, mais il savait pertinemment que la plupart n'étaient que des épouvantails. La ville ne pouvait plus payer un si grand circuit de surveillance. Détroit était en faillite. Tous les journaux en parlaient.

Il s'assit sur un banc libre, à quelques mètres de la fillette qui jouait à la marelle avec ses amies. Il l'observa un court instant, la trouva jolie et se promit d'être doux avec elle. Bientôt elle rejoindrait les autres et Simon en aurait fini. « Jusqu'à quand ? » souffla-t-il. Mais aucune réponse ne lui vint en écho.

Le géant se leva après avoir jeté un coup d'œil en direction du groupe de femmes : elles continuaient de parler sans se soucier de leurs enfants. *Parfait*.

Jennifer comprenait ce que sa meilleure amie tentait de lui expliquer. Non, elle n'était pas trop vieille pour enfanter, non, Adam n'avait pas le droit de la priver d'un enfant alors que lui avait déjà Salie. Même si elle l'aimait de tout son cœur, cette petite fille ne serait jamais la sienne, pas entièrement. Et Jennifer refusait de n'être qu'une belle-mère. Elle voulait devenir maman.

Elle laissa Cassandra exprimer son écœurement, qui avec sa faconde habituelle se transformait en plaidoyer féministe. Jennifer tira une cigarette de son paquet et chercha son briquet.

Merde, j'ai dû l'oublier sur la table de la cuisine.

C'est en demandant du feu à sa voisine qu'elle remarqua l'homme qui venait de se lever quelques mètres plus loin. Elle ne l'avait pas vu entrer dans le parc. Sans doute était-il arrivé lorsque ses deux amies s'offusquaient de sa situation et monopolisaient toute son attention. Elle observa la silhouette de l'inconnu et fut surprise par sa hauteur. Adam mesurait 1,70 mètre. Sa taille, plutôt faible pour un homme aussi viril que lui, restait un sujet sensible. Elle s'en amusait parfois, le faisant entrer dans une colère sourde. Jennifer ressentit une impression bizarre, primitive, et son rythme cardiaque s'accéléra alors que ses deux amies tournaient la tête à leur tour.

Car le géant s'approchait des enfants.

Simon décida d'agir. Il se leva, jeta un dernier regard aux alentours et s'avança prudemment. Les petites filles jouaient encore, elles observaient le monde et s'émerveillaient avec ce scintillement dans les yeux que Simon leur enviait depuis toujours. Lui n'avait pas eu cette chance. Son enfance se résumait aux coups reçus, aux pleurs étouffés et aux regrets tourmentés. Les yeux de son père ne brillaient plus. Les enfants cherchent constamment des réponses dans le regard de leurs parents. Ils y perçoivent la joie, la tristesse, la fatigue et l'alcoolisme bien mieux que par des paroles qui souvent ne sont que mensonges pour les préserver. Simon n'avait jamais surpris une étincelle chez son père. Il était éteint depuis trop longtemps.

Plus que quelques mètres. L'une des fillettes tourna la tête vers lui, un dixième de seconde durant lequel elle ne devina aucun danger, puis se concentra à nouveau sur les marques dessinées à la craie au sol. Simon savait que tout allait se jouer à cet instant. Au fil des enlèvements, le stress diminuait perceptiblement. Ses aptitudes physiques lui permettaient d'emporter ses victimes comme de vulgaires colis. Ses bras puissants les encerclaient tandis que ses jambes musclées lui facilitaient une fuite rapide.

Simon arriva enfin à hauteur des enfants. Il leur sourit, avança vers la gamine, lâcha un compliment sur la beauté de la marelle… c'est alors qu'il la vit. Située vers la gauche, juste derrière son van blanc. Une voiture de police venait de se garer. Simon sentit la sueur inonder son dos en observant les deux officiers sortir et traverser la rue en direction du parc.

Merde.

Salie s'approcha de lui et demanda s'il voulait jouer avec elles. Ses traits étaient fins, ses couettes brunes pendaient de chaque côté de sa tête et s'ébrouaient à chaque mouvement. Ses yeux d'un marron profond attendaient une réponse. Et en patientant, ils scrutaient l'âme de ce géant qui ne les effrayait guère.

— Non, mon cœur, je dois partir. Amuse-toi bien.

Il disparut en marchant d'un pas rapide sans se retourner. Personne, ni les mères qui s'étaient rassises et se moquaient de leur paranoïa ni les policiers qui prenaient simplement leur pause déjeuner dans un parc calme, ne vit la tristesse sur son visage. Des larmes embuèrent ses yeux.

Car Simon Duggan savait qu'à présent un enfant allait mourir.

34

Dimanche 17 mars 2013

Lisa écouta la frêle respiration d'Andrew. Son souffle était erratique, fatigué. Elle pensa à la flamme vacillante d'une bougie prête à s'éteindre. Depuis combien de temps étaient-ils seuls, sans boire ni manger ? À quand remontait la dernière visite du géant ? Parce que c'en était un, pas un faux comme dans les légendes, non, il s'agissait vraiment d'un géant.

La jeune fille l'avait vu quand il lui avait retiré son bandeau. Elle ne comprenait toujours pas pourquoi il avait agi ainsi. Elle avait rencontré son visage et n'avait ressenti aucune crainte. Leurs regards s'étaient soutenus l'un l'autre durant un long moment.

Puis Lisa avait détourné son attention pour se focaliser sur l'intérieur de la cabane, qu'une lumière fine perçant à travers les planches éclairait timidement. Elle aperçut des ruissellements sur le sol, tels des serpents, se frayer un chemin entre les jointures grossières des planches. Le son des gouttes de pluie entendues quelques minutes auparavant se matérialisait ainsi et, en voyant la nature dans sa plus grande simplicité, la jeune fille comprit qu'elle n'était ni morte ni en train de rêver. Elle jeta un regard oblique vers les silhouettes de ses camarades d'infortune. Son frère dormait, ou peut-être faisait-il semblant comme il le faisait régulièrement le soir dans sa chambre. En plissant les yeux pour s'habituer à la clarté, Lisa découvrit de curieux dessins réalisés à la craie sur les planches de la cabane. Elle se concentra et devina à sa droite la reproduction d'un géant à la poursuite d'enfants. Plus loin, deux petites silhouettes maladroitement dessinées couraient à travers un champ hérissé d'herbes hautes. L'une d'entre elles laissait une chaussure derrière elle.

Le géant lui avait tendu un sandwich, ainsi qu'un second pour son frère, « pour quand il se réveillera ». Sa voix semblait apaisée, douce, presque protectrice :

— Je risque de ne pas revenir, avait-il murmuré, mais d'autres viendront vous libérer. C'est ton petit frère ?

— Oui, monsieur, répondit-elle sans savoir si elle en avait l'autorisation.

— Tu n'as pas peur ?

— Je ne crois pas.

— C'est bien, tu es courageuse, l'avait félicitée le géant.

— On va bientôt revoir nos familles ? avait-elle demandé d'une voix hésitante.

— Je l'espère. Promets-moi quelque chose.

— Quoi ?

— Que tu seras toujours là pour protéger ton petit frère.

— Je vous le promets, monsieur.

Bizarrement, Lisa avait eu envie de prendre le géant dans ses bras comme elle le faisait avec Andrew lorsque celui-ci avait un chagrin que les parents ne pouvaient soigner. Elle se répéta la promesse, intérieurement, dans sa tête, dans son cœur et dans tout son être. Cette phrase résonna en elle et s'engouffra dans ses veines, chassa la peur pour laisser apparaître la certitude d'un futur sans légende punitive.

— Parfait. Je vais te remettre ton bandeau et partir maintenant. Quelqu'un viendra vous libérer.

— Qui ?

— Une personne qui vous connaît mieux que quiconque.

Puis l'obscurité était revenue avec le claquement de la fermeture du cadenas.

Le capitaine sursauta lorsque Sarah et Stan firent irruption dans son bureau. Il venait de remplir le formulaire de demande de dossier et pensait ne plus croiser l'inspecteur Mitchell de sitôt. De plus, il n'avait pas mordu à l'hameçon quand celui-ci lui avait annoncé qu'il travaillait sur plusieurs pistes. Et cela le rendait particulièrement nerveux.

— Que se passe-t-il… encore ? prononça-t-il d'un ton exaspéré.

— Simon Duggan ! lança Stan en appuyant les mains sur le bureau, face au capitaine.

— Sim…

— C'est lui, propriétaire d'un van blanc et suspecté en 1998. La physionomie correspond. C'est lui, enchaîna l'inspecteur Mitchell.

— Comment avez-vous...

— Il tue des enfants dont les mères sont déjà mortes, cria à son tour Sarah, en levant bien haut une feuille imprimée.

— Que... quoi ?

— Aucune des mères des victimes n'est leur mère naturelle. Il s'agit de belles-mères, de grand-mères ou de tantes, mais jamais de leurs génitrices. C'est le critère de sélection ! assura-t-elle en étalant la feuille devant Craig d'un geste bruyant. *Déclarations de décès post-partum.*

— En êtes-vous sûrs ? Merde, vous êtes sous cocaïne tous les deux ?! lança nerveusement le capitaine qui n'entendait rien à ce que les deux inspecteurs tentaient de lui expliquer.

— C'est lui, capitaine. On ne doit plus attendre.

Leur supérieur examina l'imprimé. Ses yeux sautaient de déclaration en déclaration. Trop de concordances pour n'être qu'un hasard. Trop de vide dans l'enquête pour ne pas suivre cette piste.

— OK, prenez au moins deux minutes pour m'expliquer calmement tout ce bordel.

Alors Stan se mit à raconter la filature en 1998. Simon Duggan travaillait à cette époque sur le chantier du casino où avait été retrouvée Gwen, puis le van, les recherches d'immatriculation, la morphologie qui correspondait sur la vidéo. Sarah enchaîna avec les interrogatoires des familles, les mères décédées, maintenant et avant. Au fur et à mesure que chacun exposait ses déductions, le capitaine comprenait que les légendes étaient parfois simplement des légendes, et que celle murmurant que Stan Mitchell n'attraperait jamais le Géant de brume était en train de s'effriter devant lui.

— Adresse ? intima Hanz Craig qui se leva pour se saisir du téléphone.

— 976 Fernhill Street.

— Si ce n'est pas lui, je vous promets de vous coller à la circulation jusqu'au jour de votre retraite, les prévint-il.

— Il n'y a aucun doute, assura Sarah.

— C'est ce que vous dit la voix, Berkhamp ?

— Exactement, capitaine, la voix dont vous vous moquez me crie que ce putain de Simon Duggan est celui qui a tué et enlevé les enfants.

— Très bien. Vous êtes chargée de l'arrestation. Je m'occupe du SWAT, harangua le capitaine.

— Le SWAT ?

— Tout à fait, Berkhamp. Pour la première fois depuis que je vous connais, et rappelez-vous que je vous ai fait sauter sur mes genoux, ouais, pour la première fois, moi aussi, j'entends une petite voix. Et elle me dit que vous avez raison. Bougez-vous. Briefing dans dix minutes. Chopez cet enculé de Géant de brume et faites-lui dire où sont les enfants.

LE GÉANT DE BRUME

« Il était une fois, dans un village reculé, une créature qu'on appelait le Géant de brume. Chaque nuit, lorsque la lune voilée par les nuages n'éclairait qu'à moitié et que la brume humide léchait les maisons, il venait enlever des enfants qu'on ne revoyait jamais. »

Contes et légendes du Moyen Âge.
Auteur inconnu.

Dimanche 17 mars 2013

La voiture de police n° 18 quitta le parking souter-
rain du central et se jeta avec détermination dans les
rues de Détroit. Une pluie agressive l'y accueillit. Elle
la fouetta de ses larmes, adjurant ses deux passagers
de ne pas s'enfoncer davantage dans l'horreur, leur
murmurant de retourner vers le confort ouaté d'une
vie qui pourtant n'existait plus.

Sarah s'inquiétait du silence dans lequel Stan s'était
plongé depuis le lancement de l'opération. À peine
trente minutes avaient suffi au capitaine pour obtenir
la présence du SWAT qui, désormais, attendait aux
abords de la maison. Son collègue se contentait de
pousser des jurons contre les véhicules qui, malgré
la sirène, hésitaient à se ranger sur le côté. Elle pouvait comprendre son impatience. Elle aussi avait hâte
de délivrer les enfants. Mais il régnait entre eux une
ambiance pesante.

Stan laissa comme convenu les commandes de
l'opération à Sarah. Il espérait que celle-ci garderait

l'esprit clair, qu'une voix échappée de nulle part ne lui soufflerait pas de mauvais conseils. Aurait-il dû parler au capitaine ? Aurait-il fallu qu'il explique les traces sur les poignets de sa collègue ? Pourquoi Craig confiait-il les rênes de l'interpellation à Berkhamp alors que Stan venait de lui exposer ses doutes et de demander l'accès à son dossier ?

Le véhicule roula encore une dizaine de minutes, puis au croisement de Ryan Road le conducteur d'une voiture pie leur fit signe de s'arrêter. Sarah sortit en oubliant la pluie. Elle resserra la sangle du gilet pare-balles qui lui comprima un peu plus la poitrine, vérifia le chargement de son Glock et interrogea l'officier en faction :

— Des signes de présence ?

— Oui, inspecteur, affirma le jeune officier dont la parka ruisselait de les avoir attendus. Une silhouette dans le salon. Assise dans un fauteuil, immobile depuis vingt minutes. Les tireurs d'élite ont un visuel et ont confirmé l'identité.

Sarah et Stan se faufilèrent derrière les pavillons en bois désertés. Ils se courbèrent sous la violence de la pluie qui semblait leur dire à présent de se hâter et de sauver ses enfants. Ils sautèrent par-dessus une haie grillagée, piétinèrent la boue d'un second jardin où de vieux jouets à demi ensevelis fixaient les nuages, puis dépassèrent un tireur du SWAT accroupi, en joue, un genou dans la terre humide.

C'est ici, siffla le vent glacé aux oreilles de Sarah.

Complètement trempés, ils approchèrent en silence et se glissèrent le long de la façade pour atteindre la véranda de Simon Duggan. Les bruits d'une télévision en marche leur parvinrent.

— Sarah, ça va aller ? Je veux dire…, chuchota Stan.

— Les éléments extérieurs n'ont jamais court-circuité mon travail. Encore moins aujourd'hui. Vous m'avez vue désœuvrée. Mais c'est terminé à présent, la voix est en train de disparaître.

— Il faudra que je reste seul un instant avec lui, la prévint-il.

— Stan !

— Laissez-moi juste cinq minutes, que je me libère du passé.

— Ne le tuez pas.

— Promis.

Ils jetèrent un dernier coup d'œil en direction de l'équipe de soutien qui, quelques mètres plus loin, attendait qu'ils entrent pour passer à l'action.

Stan se déplaça de l'autre côté du chambranle et recula d'un pas pour enfoncer la frêle porte en bois. Sarah se précipita dans son sillage, Glock en avant, et hurla à l'occupant de ne pas bouger. Au-dehors, la pluie en colère darda ses épines glaciales sur la dizaine de silhouettes armées qui se précipitèrent à leur tour dans l'antre du Géant.

Vingt minutes plus tard.

Une brume odorante et tiède s'échappait de la terre inondée. Elle s'élevait péniblement, comme lestée par les malheurs environnants. Sarah accepta une cigarette proposée par un membre du SWAT et fuma en observant le voisinage. Elle s'aperçut que la maison était la seule occupée dans cette rue. Tout autour n'était que pelouses en friche, peintures écaillées et balançoires rouillées. La fin de son monde n'aurait pu avoir meilleur décor.

Lorsque l'écho des coups se tarit, Sarah souffla sa nicotine vers le ciel et retourna chercher les enfants.

36

Mardi 19 mars 2013

Le dimanche 17 mars, le Géant de brume fut placé en garde à vue dans une cellule du douzième district. Un avocat lui fut commis d'office, mais il refusa d'être représenté. Le soir même, Sarah rédigea son rapport qu'elle déposa sur le bureau du capitaine, lequel lui promit une progression rapide dans sa carrière. La jeune femme sourit, mais le sourire s'effaça lorsqu'elle quitta le parking du central pour rentrer chez elle.

Elle assista, comme exigé le lundi par Simon Duggan, au second interrogatoire. Elle écouta ce qu'il avait à lui dire. Mais rien ne se passa comme prévu. Le Géant de brume ne livra aucune information susceptible de les aider, se permettant même de jouer à un petit jeu auquel personne ne voulait participer.

1, 2, 3, 4, 5, 6, 7... Sept enfants coururent pour échapper au Géant de brume. Ils coururent là où les herbes poussent, mais ne furent pas assez rapides.

Tour à tour leurs gorges craquèrent et se plièrent sous les mains épaisses. Aucun d'entre eux ne survécut. 1, 2, 3, 4, 5, 6, 7... Mais où sont le huitième et le neuvième ? Trouve le huitième et le neuvième enfant, Sarah. Et la brume se dissipera.

Stan, lui aussi, ignorait où se trouvaient les enfants.

Il se réveilla avec une puissante gueule de bois. Mary était déjà levée. Elle se tenait debout, son dos éclairé par le jour naissant, et se pencha pour ramasser les vêtements abandonnés sur le sol. Sa chevelure rousse ondoya comme les flammes d'un brasier incertain. Elle disparut dans la salle de bains et en ressortit quelques minutes plus tard, soigneusement maquillée et coiffée, ayant effacé les stigmates de la nuit écoulée dont Stan n'avait que très peu de souvenirs. Il se rappelait être passé la prendre chez elle après lui avoir téléphoné, le restaurant italien et son manque d'appétit à lui, le vin rouge dont ils commandèrent deux bouteilles, l'alcool en rentrant, les vêtements jetés à la hâte.

Il prit appui sur ses coudes et l'observa tandis qu'elle remettait ses boucles d'oreilles devant le miroir de la chambre. L'impression de déjà-vu était trop réelle pour être ignorée : c'était ainsi qu'ils se quittaient chaque matin lorsque leur liaison entretenait chez chacun l'illusion d'une vie de couple. Ensuite la porte claquait sans qu'aucun des deux ait eu le courage de suggérer un « à ce soir ».

Stan sentit des picotements parcourir ses poings. Les plaies désinfectées s'étaient rouvertes pendant la nuit, du sang séché formait des croûtes et des taches minuscules recouvraient le drap. Il n'avait pu retenir sa furie. Dans son sommeil, il se revoyait frapper cet homme, ce géant qui ne protesta à aucun moment. Il lui sembla même qu'il acceptait la sentence, reconnaissant dans sa souffrance la conséquence de ses actes. Puis l'inspecteur l'avait regardé, le souffle raccourci par tant de violence, et s'était accroupi face à lui. Simon Duggan, un filet de bave et de sang pendant laconiquement de ses lèvres ouvertes, était resté immobile, comme dans l'attente d'une nouvelle salve. Mais se venger est une chose, et frapper un homme attaché à une chaise en est une autre. Stan s'était détourné de lui et avait quitté la pièce. Les membres du SWAT et de la police lui avaient alors lancé des regards compréhensifs, tous solidaires de cette action qui ne s'était jamais produite, puisque officiellement Duggan avait chuté stupidement dans l'escalier. Tous complices invisibles d'une vengeance qui fermentait depuis des années. Stan aurait souhaité se sentir libéré, que le Géant de brume hurle de souffrance, qu'il donne des noms, des lieux, des vérités intangibles et des explications mystiques susceptibles de justifier l'abomination de ses actes.

Mais rien.

Seul le silence.

Et son visage ensanglanté.

— Pour répondre à ta question d'hier, prononça Mary en enfilant son manteau, oui, mourir en couches est courant. C'est d'ailleurs la sixième cause de décès chez les femmes entre vingt et trente-quatre ans. Toutes les jeunes mamans sont confrontées à ce danger. Parfois une hémorragie peut se déclarer plusieurs jours après l'accouchement.

Stan s'assit sur le bord du lit, regarda ses mains marquées et réfléchit à ces paroles. Sarah s'était montrée digne de sa réputation. Elle s'était rendue chez les familles des victimes et avait découvert cette piste que lui-même avait été incapable de comprendre des années plus tôt. Pour l'instant, savoir que le meurtrier s'en prenait uniquement à des enfants dont les mères étaient décédées ne servirait qu'au psychologue qui étudierait le cas Simon Duggan. Car cette révélation n'aidait nullement à comprendre où se trouvaient les enfants.

— Y a-t-il… un fichier dans vos archives ? demanda Stan en remettant son caleçon.

— Un fichier de quoi ?

— Des personnes mortes en couches.

— Bien sûr qu'il y en a un.

— Il faudrait que je le consulte.

— Tu sais, au début j'ai vraiment cru à un rendez-vous, je veux dire un « vrai » rendez-vous, lui reprocha Mary. Mais j'aurais dû comprendre, dès les premières minutes, tu n'as pas arrêté de parler de ça, du Géant de brume, de l'arrestation, des gamins disparus, de Sarah… Tu agissais exactement de la même manière il y a quinze ans.

— Il faut les retrouver, Mary, on l'a interpellé avant-hier, s'ils sont vivants on doit se dépêcher…

— Je sais, Stan. Si seulement tu pouvais te retrouver aussi, cela t'aiderait, lança l'infirmière.

— Qu'est-ce que tu veux dire par là ?

Il s'approcha d'elle, voulut la prendre dans ses bras, mais elle le repoussa doucement et s'écarta :

— Rien, je... je suis désolée. Passe quand tu le souhaites à l'hôpital, je te ferai accéder aux fichiers sans que tu aies besoin d'un mandat.

— Merci. Mary ?

— Oui ?

— Pourquoi es-tu restée, alors ? demanda Stan alors qu'elle saisissait ses clefs de voiture.

— Tu sais, Stan, les femmes aussi ont besoin de baiser.

Puis elle sortit sans rien ajouter.

Stan essaya de joindre Sarah sur son portable, mais tomba sur le répondeur. Il tenta le central où on lui expliqua qu'elle se trouvait en salle d'interrogatoire et restait donc injoignable pour le moment. Il aurait aimé y participer, mais sa présence aurait sans aucun doute « bloqué » les confessions. C'est ce que lui avait fait comprendre le capitaine en lui imposant hier et aujourd'hui de se reposer et de ne pas venir au central. De plus, Stan comptait utiliser cette « journée de repos » pour retrouver les enfants, seul, de son côté, laissant Sarah et les agents du FBI perdre leur temps avec le Géant. *Il ne parlera pas*, se disait-il, *pas plus qu'il n'a gémi lorsque je l'ai frappé. Son silence sera la tombe de ses victimes.*

Après une douche froide, il avala deux aspirines

qu'il fit passer avec un reste de vodka. Une pluie fine
saupoudrait la ville de gouttes inoffensives. Il s'installa
dans la cuisine et ouvrit le dossier que le capitaine lui
avait remis avant qu'il quitte le central par la porte de
derrière afin d'éviter le maire et les journalistes.

Stan tourna les pages lentement, découvrit l'élève
parfaite qu'avait été Sarah durant sa scolarité à l'école
de police. Sa photo de présentation le renvoya des
années en arrière, dans la salle de musculation alors
qu'il venait de trouver le premier corps d'une longue
série. Il lut les comptes rendus de ses différentes incor-
porations, ses résultats aux épreuves de tir, sa men-
tion en droit… Il examina ses relevés psychologiques,
ceux que subissent régulièrement les agents dans le
but de prévenir tout surmenage ou pathologie risquant
d'entraîner un problème sur le terrain. Sarah souffrait
d'hallucinations auditives, symptôme de la schizophrénie. Les médecins jugeaient l'affection minime,
même si elle apparaissait sans exception sur tous les
rapports, de sa première affectation jusqu'au plus
récent contrôle, en fin d'année dernière. Sarah lui en
avait parlé, ajoutant qu'elle souffrait de ce symptôme
depuis son enfance. Rien de nouveau donc. Stan eut
peur de faire fausse route. Il craignit d'avoir demandé
inutilement à son supérieur un dossier protégé par le
sceau professionnel.

Qu'est-ce qui te prend ?

*Pourquoi t'acharnes-tu à lier ce tueur à ta parte-
naire ?*

Le Géant de brume est sous les verrous, les enfants

254

*seront retrouvés, morts ou vivants, mais c'est la fin de
la légende. Que cherches-tu de plus ?*

*Ne refais pas les mêmes erreurs, ne te borne pas
à...*

Les mêmes erreurs...

Stan ressentit un frisson. Un long frisson qui l'immobilisa quelques secondes, juste le temps qu'il trouve
le courage de tourner à nouveau les pages.

Les mêmes erreurs...

Je n'ai jamais vérifié les états civils des enfants...

Je n'ai jamais demandé si les mères étaient vraiment leurs mères...

Le frisson se mua en coup de poing dans le sternum
lorsqu'il découvrit ce qu'il redoutait.

C'était marqué noir sur blanc.

Sur la première page.

*Trouve le huitième et le neuvième enfant, Sarah. Et
la brume se dissipera.*

La jeune femme tentait toujours de démêler la folie
de ces paroles. Elle sortit de la pièce pour s'asseoir
dans le couloir et boire un verre d'eau. Debout face
à elle, le capitaine Craig se terrait dans un mutisme
inquiétant. L'adjoint au maire alternait les va-et-vient,
semblait réfléchir à une quelconque solution, grommelait des mots incompréhensibles sinon par lui-même et
consultait son téléphone toutes les trente secondes. Il
finit par disparaître, happé par un appel important ou

lassé d'attendre des réponses qui prendraient vraisemblablement des heures à venir.

— Il faut vous accrocher, Sarah. On va lui tirer les vers du nez, l'encouragea Craig.

— Je sais, capitaine. Je… je ne m'attendais pas à cela, souffla-t-elle en sortant son téléphone de sa poche arrière.

Quatre appels en absence.

Stan.

Pas le moment…

— Pourquoi seriez-vous sa rédemption ?

— Je l'ignore complètement. Il cherche à gagner du temps. Il nous mène en bateau.

— Nous ne l'avons pas, ce temps, inspecteur. Si je m'écoutais, je lui brancherais les couilles sur une batterie de voiture et j'enverrais le jus pour le faire parler. Mais il ne veut discuter qu'avec vous… Le FBI va prendre l'affaire en main dès cet après-midi. Il ne leur parlera pas plus qu'à nous. Vous devez y retourner, Sarah.

— Je sais… j'avais juste besoin de quelques minutes…, murmura Sarah en rangeant son mobile.

— Je comprends.

— Capitaine ?

La jeune femme lui tournait déjà le dos. Le capitaine l'observa avec une certaine mélancolie. Il se souvint de Sarah enfant, de ses rires, de ses regards lumineux lorsque son père la prenait sur ses genoux. Craig se demanda si elle n'avait pas atteint ses limites. Son visage était blême, bien plus que la veille. L'adrénaline de l'arrestation s'était enfuie, comme vampirisée par le silence du Géant. Seules restaient la fatigue et l'inquiétude. Il ne lui aurait pas reproché de ne pas y retourner pour l'affronter. Mais, hélas, il ne pouvait le lui permettre. Des vies en dépendaient.

Il souhaita alors que les voix lui murmurent des paroles apaisantes et que des réponses arrivent avant qu'elle ne craque.

— Oui ?

— Ne me remettez plus jamais sur des disparitions d'enfants, prononça-t-elle en regagnant d'un pas décidé la salle d'interrogatoire.

En pénétrant dans la pièce, Sarah commit deux infractions majeures : la première fut de fermer à clef derrière elle, lentement, avec des gestes déterminés qui intimaient aux personnes présentes de l'autre côté de la vitre sans tain de ne pas intervenir. La seconde fut de couper le micro, ne laissant ainsi aucune possibilité d'entendre le contenu de la conversation.

Elle s'installa sur la chaise, face à Simon Duggan, qui l'observait sans aucune réaction visible si ce n'était le léger sourire qui se dessinait sur ses lèvres. *Elle a compris,* se dit-il alors, *sans doute pas tout, mais elle a compris quelque chose.*

— Que voulez-vous ? lança Sarah d'une voix calme et posée.

— Je veux que tu sauves les enfants.

— Très bien, c'est ce que je souhaite également. Alors, dites-moi où ils se trouvent et comme cela tout le monde sera heureux.

— « Il était une fois, dans un village reculé, une

créature qu'on appelait le Géant de brume », se mit à réciter Simon en fermant les yeux, du moins l'œil, comme s'il psalmodiait une incantation.

— Arrêtez vos conneries, pesta Sarah.

— Vous connaissez cette légende, inspecteur ?

— Évidemment !

Sarah s'impatientait de nouveau. Ses mains devinrent moites et elle ressentit un étrange goût au fond de la bouche. Pas le goût de la peur, ce qui aurait été justifié, mais une saveur amère, végétale, et elle imagina des herbes hautes couvertes de rosée se mouvoir autour d'elle.

— Tous les enfants de Détroit la connaissent, remarqua Duggan.

— Où sont-ils, nom de Dieu ?

— Il faut que tu les sauves, Sarah. Ils n'ont presque rien mangé.

— Ils… ils sont vivants ?

— « Chaque nuit, lorsque la lune voilée par les nuages n'éclairait qu'à moitié et que la brume humide léchait les maisons, il venait enlever des enfants qu'on ne revoyait jamais. »

— Vous êtes cinglé ! lui cria-t-elle au visage, à demi relevée de sa chaise pour le fixer au plus près d'un regard empli de violence refoulée.

Simon haussa le ton à son tour, prenant une pose identique, si bien que quelques centimètres, aussi fragiles qu'un miroir, séparaient les deux visages :

— Non, Sarah ! Je ne suis pas *cinglé* ! Le choix des mots est important, tout comme dans la légende ! Par exemple, « disparaître » ne signifie pas « mourir ».

L'autre ne l'a pas compris, il avait trop de douleur en lui.

— L'autre ? Mais putain, dis-moi où sont les enfants ou je te tuerai de mes propres mains, tu entends ?

— Cours, Sarah ! se mit à hurler soudainement Duggan dont les plaies des lèvres se rouvrirent alors que son visage se transformait en un masque de terreur. Cours et va où les herbes hautes poussent ! Cours comme quand nous étions enfants !

37

Mardi 19 mars 2013

— Que fais-tu déjà ici ?

Stan s'était directement dirigé vers le service de Mary. Elle fut surprise lorsqu'elle le vit fondre sur elle. Ils venaient de se quitter, quoi, une heure avant ? Elle l'écouta expliquer la raison de son arrivée subite. Elle aurait juré reconnaître sur lui l'odeur de la vodka.

— Maintenant ?

— Tu as dit que tu pouvais me faire entrer. Et là c'est une putain d'urgence, jura Stan.

— Il faut quand même que je prévienne mes supérieurs…, rétorqua-t-elle sèchement.

— Ouvre-moi d'abord la salle des archives, le temps presse, tes supérieurs peuvent attendre.

— Tu vas vraiment mal, tu sais ça !

L'inspecteur laissa la remarque ricocher sur ses priorités, qui n'étaient à ce moment-là nullement sa santé mentale. Mary se rendit dans son bureau, en ressortit avec un trousseau de clefs et ouvrit la marche.

Seuls le silence et la certitude d'un monde en ruine troublèrent leurs pensées.

— Voilà, *inspecteur*, les fichiers sont ici.

Les néons crépitèrent avant d'éclairer d'une lumière crue une salle mesurant quatre mètres sur cinq. Partout des rayonnages en acier hauts de plusieurs mètres et remplis de boîtes cartonnées avec, inscrits sur leur tranche, des mois et années.

— Les décès sont répertoriés dans ces boîtes. Les plus récents, moins de cinq ans, ont été numérisés. Pour le reste, il faudra attendre que la mairie nous octroie le budget nécessaire. Mais je doute que ce soit dans ses plans avant de nombreuses années.

— Je n'ai pas le temps de fouiller ces dossiers un par un, souffla Stan en contemplant la masse de papiers accumulés. Où se trouvent les décès post-partum ?

Mary le fixa d'un air exaspéré et se demanda s'il se payait sa tête. Ne comprenait-il pas qu'il se trouvait dans l'antichambre même de la mort ?

— Bon sang, Stan, tu as devant toi tous les décès de ces cinquante dernières années ! Tu t'attendais à quoi, une dizaine de cas rangés dans un tiroir ?

— En tout cas pas à « ça », admit-il en balayant la salle du regard.

La fouille prendrait des heures, voire des journées s'il vérifiait toutes les déclarations. En admettant que le Géant de brume ne s'attaque qu'aux enfants ayant perdu leur mère durant ou après l'accouchement, il y avait là des dizaines et des dizaines de victimes potentielles. *Bon sang...*, pesta-t-il en s'approchant lentement des rayonnages, à la manière dont on se déplace d'un pas hasardeux entre les tombes d'un cimetière. Il se promit d'analyser toutes ces données plus tard, d'y lire toute la tragédie de ces maternités mort-nées. Mais pas maintenant. Pour l'instant, un seul cas nécessitait son attention pour enfin démêler le fil qui pourrait l'emmener au Géant de brume.

— Quelle année ? soupira Mary, à bout de patience, alors que Stan louvoyait sans savoir par où commencer.

— 1977.

— Quoi ? Si loin ? s'étonna-t-elle.

— S'il te plaît.

— Tu fais chier.

Elle se dirigea d'un pas ferme vers le fond de la salle. Elle sembla hésiter, revint en arrière et se mit sur la pointe des pieds pour lire l'étiquette collée sur le rebord du rayonnage.

— Voilà, lui dit-elle en lui montrant l'ensemble des documents. 1977.

Stan fut surpris de voir tant de dossiers. Une odeur de poussière et d'humidité semblable aux relents d'un caveau oublié régnait dans la pièce. Mary lui avait expliqué que les techniques d'accouchement n'étaient pas les mêmes trente ans auparavant, que les risques d'accident étaient bien plus élevés que maintenant. *Mais quand même…*, se dit l'inspecteur en commençant à chercher. Il saisit le dossier correspondant au mois de janvier puis déposa le contenu à même le sol. Il s'agenouilla et se mit à fouiller les différentes pages.

— Sérieusement, Stan ? Tu ne peux pas t'installer correctement ? Il y a une petite table là-bas !

— Je sais ce que je cherche. Et si mon intuition est bonne, ce ne devrait pas être long, marmonna celui-ci.

Mary l'observa en restant debout. Elle se demanda à quel moment leur relation avait pris une tournure stérile. *Depuis le début sans doute*, s'avoua-t-elle à regret. La nuit dernière, Stan avait murmuré de nombreuses fois durant son sommeil. Des phrases sans aucun sens, des mots lancés au hasard par son inconscient torturé. Mais un prénom avait été prononcé avec insistance : Sarah. Mary soupira à l'idée que Stan était assez stupide pour ne pas comprendre ses sentiments envers sa partenaire. Elle, elle l'avait vu tout de suite. Dès le moment où tous les trois avaient été réunis dans la même pièce, ici, dans cet hôpital, tandis qu'elle soignait les stigmates d'un suicide avorté. Elle les avait observés discrètement. Leurs regards. Leurs silences. Leurs visages fermés. Leurs blessures intérieures et extérieures. Quand deux âmes errantes se rencontrent, elles choisissent souvent de faire un peu de chemin ensemble. Et aucune d'elles ne cherche à savoir pourquoi.

Stan se releva et prit un autre dossier. Le simple fait de toucher ces actes de décès le dégoûtait. C'était comme rouvrir la tombe de ces femmes, caresser leurs joues glacées, leur promettre de ne pas s'inquiéter, qu'il y aurait toujours quelqu'un pour s'occuper de leurs enfants. Les noms se succédaient et l'inspecteur repoussait loin de lui l'envie de comprendre comment ces femmes avaient pu mourir. Dans sa vision idéale, la mort ne pouvait pas suivre d'aussi près la vie. Chacune devait avoir son territoire. L'accouchement représentait alors un terrain neutre, qui leur imposait de ne pas trop s'approcher l'une de l'autre. Mais à Détroit, la frontière entre les deux belligérantes semblait moins bien gardée qu'ailleurs.

— Là, j'ai trouvé.

Mary se rapprocha et se pencha au-dessus de lui. Elle ne comprenait pas pourquoi Stan fouillait si loin. Les récentes victimes du Géant de brume n'avaient pour la plupart pas plus de douze ans. Que cherchait-il si profondément dans le passé ?

— Nom de Dieu, soupira-t-il en se relevant lentement.

— Quoi, qu'as-tu trouvé ? s'enquit Mary.

— Ce n'est pas possible...

— Stan ?

Son visage était devenu blanc. Molosse tenait une feuille entre les mains et ne la quittait pas du regard, comme aspiré par les mots dactylographiés dessus :

— Le 10 février 1977, Sandra Duggan est décédée en couches. Fièvre puerpérale, prononça-t-il faiblement.

— La mère du Géant ?

— Oui.

— En quoi cela est-il important ? Stan, tu vas bien ? Tu devrais peut-être t'asseoir et...

— Le rapport précise que les médecins ont pu sauver l'enfant, continua-t-il sans prêter attention aux paroles de Mary, mais que, malgré de nombreux efforts, la mère a été déclarée morte dix minutes après l'accouchement...

— Je te l'ai expliqué, les risques étaient élevés à

cette époque…, tenta d'expliquer l'infirmière qui décidément ne voyait pas où Stan voulait en venir.

— L'enfant qui a survécu était une fille, prononça alors l'inspecteur d'une voix éteinte, comme vidée de toute émotion. Prénom enregistré : Sarah. Sarah Duggan.

Sarah se précipita hors du central, ignorant les voix derrière elle. Celle de son chef qui lui hurlait de s'expliquer, celle du réceptionniste qui lui criait que Stan lui avait laissé des messages importants. Tout comme elle ignora ses propres larmes. Elle s'engouffra dans sa voiture, écrasa l'accélérateur puis se dirigea où tout avait commencé.

État de choc. Une infime partie de ton cerveau commande alors que l'autre refuse de comprendre. Ta priorité reste de chercher les enfants. Tes gestes sont saccadés, si des paroles sortaient de ta bouche, à ce moment précis elles seraient insensées. Depuis combien de temps as-tu compris, Sarah ? Depuis le porche, lorsque tu fumais ta cigarette ? Depuis notre première confrontation ? Tu n'as pas reconnu la voix immédiatement, les années finissent par tout gâcher, même les cordes vocales pourtant si bien abritées dans nos gorges.

Te souviens-tu de nos jeux, de nos rires ? Tu n'as pas reconnu la maison… mais tu n'y as vécu que si peu d'années, il a fallu que je te mette à l'abri avant qu'il ne te tue…

265

Comprends-tu à présent, Sarah ?

Comprends-tu que j'ai toujours été là pour te protéger ?

Devines-tu que lorsque les coups tombaient sur moi je ne pensais qu'à une seule chose : qu'il quitte la pièce pour que je puisse te cacher, là-bas, dans notre cachette secrète, où les herbes poussent ?

Imagines-tu les poings d'un géant s'écraser contre l'estomac d'un gamin de huit ans ? Ressens-tu l'incompréhension, la peur qui m'étranglaient alors ?

Comprends-tu à présent, petite sœur ?

Je n'avais qu'une solution : te faire quitter cet endroit. Ainsi nous avons couru le long du chemin, tu as perdu ton chausson, mais nous avons continué jusqu'à l'orphelinat. Je t'y ai laissé en disant à la femme qui m'a ouvert la porte qu'il s'agissait d'une question de vie ou de mort. Ensuite, j'ai déposé un message sur la table de la cuisine de notre maison, expliquant que nous partions vers le sud. Sans doute nous a-t-il cherchés durant des années. Mais il est revenu vers toi, pour te faire comprendre.

Trouve le huitième et le neuvième enfant, Sarah. Et la brume se dissipera.

Tu nous as retrouvés.

Mais la brume est toujours là...

Stan se gara devant la maison. Il avait immédiatement reconnu l'adresse inscrite sur l'acte de décès. Même s'il arrivait difficilement à croire ce qu'il venait de découvrir, il n'avait plus le temps d'hésiter. Si les enfants se trouvaient quelque part dans le pavillon de Duggan, il devait se dépêcher et deviner où il les avait cachés.

La pluie s'abattit violemment sur lui. Au loin, la meute de chiens semblait ne pas avoir bougé depuis deux jours. Leurs carcasses reniflaient le moindre centimètre à la recherche d'aliments dont elles avaient sans aucun doute perdu la saveur.

L'inspecteur entra dans le jardin, se munit de son arme et se glissa sous les bandeaux de police. Il arracha l'étiquette du scellé et abattit son épaule contre la porte qui s'ouvrit en un souffle, éparpillant des copeaux de bois humide sur le sol. Lampe torche à la main, Stan longea le couloir de l'entrée qui débouchait à droite sur la cuisine. Il se souvenait de l'endroit exact ou Simon Duggan était assis lors de l'interpellation. Ici, dans ce fauteuil miteux. Il se revit lui frapper le visage. Il sentit à nouveau la douleur dans ses phalanges. Glock en avant, il vérifia les autres pièces.

Rien.

Il aperçut à travers la poussière figée de la fenêtre du salon les silhouettes curieuses des chiens errants. Elles aussi devaient ressentir la tragédie du moment. Une tragédie qui leur apporterait peut-être des os à ronger…

Stan fouilla l'étage, les chambres. Il sonda les planches des cloisons, des parquets. Il vérifia les parois des placards, tout ce que les policiers avaient inspecté depuis deux jours.

Et ne trouva rien.

Il s'assit sur le lit crasseux, en sueur, le doigt tremblant posé sur la détente. Lentement, le silence écrasa les certitudes. Molosse comprit qu'il ne servirait à rien de remuer davantage les meubles. Le silence l'indiquait. Il signifiait que tout avait été dit entre ces murs, que la maison ne livrerait aucun de ses secrets, qu'elle les garderait dans ce mutisme mortifère en les serrant affectueusement entre ses bras. Les voix des enfants s'étaient étouffées ici. Le temps perdu avait posé ses mains sur leurs bouches et scellé leurs lèvres. Jusqu'à assourdir l'écho de leurs rires.

Où sont-ils... putain... où sont-ils...

Sarah.

Savais-tu que Simon Duggan était ton frère ? Connaissais-tu son existence ? Pourquoi s'en prend-il aux enfants ?

Sarah.

Tu as grandi dans cette maison. Ta mère est morte en couches. N'as-tu aucun souvenir de tout cela ?

Sarah.

À ce moment précis, tu représentes la solution au problème qui me hante depuis tant d'années... Je t'ai vue dans la salle de musculation. Tu étais jeune et magnifique. Mais dans l'ombre de ton existence se cachait le Géant que je recherchais désespérément. Je n'arrive pas à te détester...

Sarah.

N'as-tu rien ressenti en revenant ici... les voix ne t'ont-elles pas...

Soudain, Stan se souvint.

Deux jours auparavant.

Il se souvint du moment où il était sorti de la pièce.

Les poings enflés, des larmes de colère et de frustration, du sang sur les mains qui n'appartenait pas qu'à lui, mais aussi à Duggan.

Il se souvint de Sarah fumant sous le porche.

De la pluie. Encore. Continuelle. Définitive.

Les gouttes se dispersaient en cercles dans les flaques troubles et fangeuses.

Il revit son regard triste. Elle savait qu'on ne trouverait rien dans la maison. Elle le sentait. La voix lui disait que la solution n'était pas dans les murs dressés derrière elle.

Son regard.

Figé. Concentré. Imperméable.

Tourné au loin. Vers l'extérieur. Pas vers la baraque crasseuse de Duggan.

Stan se précipita au-dehors. Un chien qui s'approchait des marches de l'entrée s'enfuit en poussant des couinements plaintifs.

Là.

Elle fumait ici.

Et regardait là-bas.

Vers les herbes hautes.

38

Mardi 19 mars 2013

Hanz Craig s'installa à son tour face à Simon Duggan. Il prit soin de fermer la porte derrière lui et de débrancher complètement la caméra. Le rideau métallique de la vitre sans tain ne mit que quelques secondes à s'abaisser. Il posa sa veste sur le dossier de la chaise, fixa son vis-à-vis un court instant :

— Tu ne devais plus t'approcher d'elle. Tu nous l'avais promis il y a quelques années. Le père de Sarah et moi t'avons cru à ce moment-là, même si Harry t'apercevait de temps en temps en train de rôder autour de sa maison.

Simon ne répondit pas. Il resta silencieux, le regard posé sur la table devant lui. Il se remémora leur première rencontre. Sarah devait avoir douze ans. Simon avait réussi à la retrouver. Du moins, il n'avait jamais réellement cessé de la surveiller, de demeurer près d'elle en errant de foyer en foyer. Détroit, pour cela, était une ville riche. Les foyers pour enfants y étaient nombreux. Elle a toujours été une ville riche de son malheur.

Une nuit, il s'était approché trop près. Il avait sauté par-dessus la rambarde d'un pavillon pour l'observer, à travers une fenêtre qui donnait dans un salon. C'était ici qu'elle habitait. Avec son nouveau père, un policier qui lui souriait constamment et l'emmenait au cinéma. Alors qu'il la voyait assise seule dans un canapé confortable, il devina ses lèvres qui bougeaient. Elle lui parlait. Comme ils le faisaient avant. Dans la pénombre de leur chambre.

Puis soudain la lumière extérieure avait éclaboussé sa présence et deux hommes l'avaient attrapé tels des chasseurs se saisissant d'une bête apeurée.

— Qui es-tu, gamin ? Qu'est-ce que tu viens voler ici ?

— Je… je ne suis pas un voleur.

Le gosse était miteux : des cheveux hirsutes, des habits sales et mal adaptés à sa taille, de la crasse sur le visage. Il leur fit pitié instantanément, mais aucun des deux policiers ne le laissa transparaître.

— Alors, qu'est-ce que tu veux ? Tu veux finir en prison ?

— Non… s'il vous plaît… je m'en vais… je voulais juste… la voir.

C'est ainsi que Harry Berkhamp devina qui était cet enfant. Et c'est également à cet instant que Hanz Craig devint méfiant.

Encore un bond en arrière.

1981.

La pluie violente ravinait le chemin boueux que

Simon et Sarah s'empressaient de quitter. Ils traversèrent un large terrain vague avant d'atteindre la route. Les pieds de Sarah lui faisaient mal. Elle pleurait une détresse qu'aucun adulte ne comprendrait, mais son frère la réconforta en la blottissant contre sa poitrine.

— Où m'emmènes-tu ? questionna la petite fille en clignant des yeux à cause des gouttes qui coulaient le long de ses paupières.

— On en a déjà parlé, Sarah. Je t'emmène là où il ne pourra jamais te retrouver.

— Il me fait peur.

— Débarrasse-t'en. Enferme sa légende dans une partie de ta tête et oublie-le. Viens, on doit avancer.

La nuit profonde enveloppa les deux enfants. Elle les accompagna d'une main protectrice vers l'orphelinat de police situé quelques rues plus loin. Simon en avait entendu du bien. On l'appelait « l'orphelinat de police », car c'était une association composée d'anciens membres des forces de l'ordre qui avait contribué à sa création.

— Voilà, c'est ici. Je vais frapper à la porte et tout expliquer. Ensuite, je partirai.

— Pourquoi ne restes-tu pas avec moi ? l'interrogea Sarah dont les larmes perlaient déjà au coin de ses yeux.

— Parce que sinon il te cherchera partout, lui répondit son grand frère. Parce que sinon sa folie le poussera à faire ce qu'il a réussi à refréner jusqu'à présent : te tuer. Et je ne veux pas qu'il te tue.

— Je ne veux pas que tu partes.

— Ne t'inquiète pas, je serai toujours là pour te

protéger. Parle-moi chaque jour comme on le fait en silence dans la chambre. Murmure mon prénom, entends ma voix. Ainsi je ne serai jamais très loin.

— Tu seras toujours là ?

— Oui, Sarah, je serai toujours là pour te protéger, je te le promets.

Puis le garçon l'avait prise dans ses bras. L'étreinte flamboyait d'un amour passionné. Il pleura longuement, noyant sa tristesse dans la pluie froide et éternelle. Il n'avait jamais expliqué à Sarah pourquoi son père était si violent. Il ne lui semblait pas important qu'elle le sache. Elle n'aurait pas compris de toute manière, elle était trop jeune.

Doucement, il se sépara de sa petite sœur, monta les marches de la maison imposante qui se dressait devant eux et frappa trois coups. La porte épaisse mit un moment avant de s'ouvrir, puis un rai de lumière venant de l'intérieur s'agrandit et éclaira les pierres des marches du perron. Il pleurait encore quand il raconta que leurs parents étaient morts quelques jours auparavant et qu'il ne pouvait pas s'occuper de sa sœur. Ils avaient élaboré ce mensonge lors de leurs discussions dans la cabane. Selon Simon, il fallait à tout prix inventer cette histoire, sinon l'orphelinat n'accepterait pas de prendre soin d'elle. Alors la vieille dame écouta. Elle regarda la fillette prostrée en contrebas, un pied nu et couvert de terre, une pantoufle, du moins c'est ce qu'elle devina, sur l'autre. Elle essaya de faire entrer le garçon qui refusa, prétextant que pour lui tout irait bien, qu'à quatorze ans (encore un mensonge, mais sa grande taille le lui permettait) il était temps qu'il sache se débrouiller. La brume était sortie de la terre humide et s'était mise à ramper dans les rues telle une créature échappée de son caveau.

— Elle se prénomme Sarah. C'est ma sœur. Il faut la protéger.

La directrice observa la silhouette de l'enfant qui s'enfuit en courant dans le brouillard. Sarah laissa ses larmes couler et ses cris glacèrent le sang de Détroit durant quelques secondes, jusqu'à ce que la responsable de l'orphelinat la prenne dans ses bras pour l'accompagner à l'intérieur.

Simon pensa à tout cela lorsqu'il se retrouva coincé dans ce jardin. L'un des deux hommes avait adopté sa sœur. Il devait savoir qu'elle avait un frère. L'orphelinat lui avait sans aucun doute raconté son arrivée dans l'enceinte de l'association.

Harry Berkhamp resta silencieux un moment. Il fixa Simon avant de décider de le laisser partir sans le malmener. Seulement, il l'avertit qu'il ne voulait plus jamais le voir rôder autour de sa fille. Il prononça *sa* fille et non *ta* sœur. Une page avait été tournée pour l'existence et l'identité de Sarah.

Simon s'enfuit une nouvelle fois. La douleur de s'éloigner de sa sœur contrastait avec son bonheur de la supposer heureuse et en sécurité. Il ne se doutait alors pas que le Géant de brume se réveillerait.

— J'avais également fait une autre promesse, beaucoup plus impérieuse, murmura le Géant en pensant à Sarah.

— Qu'as-tu fait des enfants ? demanda le capitaine.

— Je ne leur ai fait aucun mal, sinon une peur dont ils se souviendront toute leur vie et qui leur servira de leçon, se justifia Duggan.

— Où sont-ils ?

— Sarah va les retrouver. Elle a compris.

— Pourquoi n'as-tu simplement pas disparu, quitté la ville et commencé une nouvelle vie ? questionna Craig.

— Parce que le Géant de brume ne desserrera pas son étreinte, il veut voir Sarah souffrir, il veut qu'elle comprenne ce qu'est la véritable souffrance.

Hanz Craig soupira et s'appuya lourdement contre le dossier de sa chaise. La légende du Géant de brume. Pour certains, il ne s'agissait que d'une vieille histoire pour faire peur aux enfants et leur apprendre l'obéissance. Pour Simon Duggan, il s'agissait de la réalité. Juste avant la mort de Harry, Simon avait osé frapper de nouveau à sa porte. L'ancien coéquipier de Craig avait eu du mal à le reconnaître tant sa silhouette s'était allongée et ses traits durcis. Le gamin n'avait pas cherché à voir Sarah. Dès que la porte s'était ouverte, il avait juste récité la légende d'un air absent, comme possédé par ses paroles, puis avait ajouté que le père naturel de Sarah tenterait de la retrouver et de la faire payer. Il avait prévenu Harry en lui racontant la vérité : le sourire de sa mère en apprenant la naissance prochaine de Sarah, la tragédie qui avait bouleversé son père au point de haïr sa propre fille. Leur fuite ensuite pour échapper aux coups qui devenaient de plus en plus violents. Le policier l'avait écouté, le poing serré, prêt à intervenir. Mais le gosse avait disparu une fois son avertissement prononcé. Ce fut la dernière fois que Hanz entendit son partenaire lui parler de Simon. Ensuite, Harry et lui patrouillèrent des nuits entières en tentant de le retrouver et de l'interpeller pour en savoir un peu plus. Puis il y eut cette fameuse nuit...

— Tu penses toujours que ton père est celui qui a tué les enfants ?

— Je ne le pense pas, je le sais.

— Alors où est-il ?

— Je l'ignore. Il n'est pas resté longtemps dans notre maison. Il l'a vendue avant de partir à notre recherche, dans le Sud.

— Et depuis, c'est toi qui habites là-bas ?

— Je n'y habite pas, du moins pas officiellement. Je la squatte. Les anciens propriétaires ont quitté la ville, comme l'ensemble du quartier. Je m'y suis installé. Détroit est généreuse avec les sans-abri depuis quelques années.

— Il faut qu'on le retrouve, insista Craig.

— Il est très dangereux, prévint Simon.

— Il est surtout cinglé.

— Il n'a pas toujours été ainsi. Je l'ai connu doux et attentif. Heureux. Puis... Sarah est arrivée. En tuant celle qu'il aimait le plus au monde.

— C'était un putain d'accident médical ! gronda le capitaine en frappant la table d'un poing rageur.

— Allez faire comprendre cela à un homme qui se retrouve seul avec son chagrin, fit remarquer calmement Simon. Mais comme pour toute douleur, trouver un coupable, ne fût-ce qu'une nouveau-née, aide à surmonter la souffrance. Il n'est pas devenu violent immédiatement. Il s'est vidé lentement de tout amour. Son regard est devenu plus dur en la voyant grandir. La plaie béante de son absence s'est mise à suinter lorsqu'il a revu *son* sourire sur le visage de Sarah. Elle ressemble tellement à maman. Dès lors rien n'a plus été comme avant. Il me frappait, car il n'osait pas encore le faire sur une fillette de trois ans. Il me terrorisait avec cette légende qui ne représentait rien d'autre que son souhait de nous voir disparaître, que le Géant de brume nous enlève pour le débarrasser de la vision d'une vie heureuse morte sur la table d'accouchement.

— C'est du délire, cracha Craig.

Mais ses paroles restèrent suspendues dans l'air climatisé de la salle. Simon les laissa virevolter sans y prêter attention, ou même y répondre. D'ailleurs, ces mots furent prononcés sans intonation précise. Le policier assis face à lui les avait lancés tel un constat. Inamovible. Définitif. La ville entière autour d'eux était en proie au délire. Les habitants fuyaient Détroit. Le nombre de sans-abri augmentait de manière délirante. Les politiciens baissaient la tête, car ils ne trouvaient aucune solution, les familles transportaient leurs valises et leurs idéaux vers un ailleurs aussi flou qu'utopique... La folie fut de penser que cela passerait, que les premières secousses n'étaient en aucun cas les prémices d'une crise plus importante. L'erreur fut de croire que ce « délire » retrouverait sa raison.

— Vous connaissez la suite, reprit Duggan après quelques minutes de silence. Il a décidé de se venger en tuant des enfants orphelins et meurtriers de leur mère. Il leur a fait ce qu'il n'avait pas osé faire à sa propre fille. Ainsi il espérait que Sarah souffrirait, ou peut-être pensait-il que sa douleur à lui s'amenuiserait. Mais comment aurait-elle pu lier ces crimes à un passé qu'elle avait profondément caché dans une partie de sa tête ?

— Pourquoi t'es-tu attaqué à ton tour aux enfants ?

— Je ne leur voulais aucun mal, expliqua Duggan. Je percevais *son* ombre aux abords des parcs ou des écoles. Sarah était revenue à Détroit, je savais qu'*il* referait surface pour continuer. Alors j'ai décidé de mettre les petits à l'abri.

— Pourquoi n'as-tu pas prévenu la police ? Nous aurions pu agir avant, lancer un mandat d'arrêt…

— Parce que c'est mon père, répondit placidement Simon. J'ai mis du temps à comprendre sa souffrance. Il reste un homme qui a tout perdu. Un homme qui a aimé éperdument une femme et qui ne se relève pas de sa mort. Je pensais… j'espérais qu'il guérisse.

Hanz Craig considéra un instant l'homme assis face à lui. Devait-il le classer dans la catégorie des victimes ou des criminels ? Ne pas avoir prévenu la police faisait de lui un complice. La souffrance qui transpirait de chaque pore de sa peau suintait cependant une infection contractée depuis l'enfance. Le policier repoussa loin de lui ces questionnements. Il était venu dans un seul but et ne faiblirait pas. Juste quelques questions avant de passer à l'acte.

— Nous devons le retrouver avant qu'il ne commette d'autres crimes. Où habite-t-il, où travaille-t-il ?

— Je l'ignore. Il est aussi insaisissable que la brume. Il n'y a qu'une chose susceptible de le trahir.

— Laquelle ?

— La meute de chiens qui entoure chacun de ses déplacements, répondit Duggan en relevant les yeux de la table.

39

Mardi 19 mars 2013

Stan observa à travers la pluie diluvienne les contours du terrain. Il trouva rapidement ce qu'il cherchait, malgré les broussailles qui en obstruaient l'entrée. La pelouse à cet endroit n'avait que très peu poussé. Le dessin imparfait d'un ancien chemin se devinait à peine, caché sous des mauvaises herbes rachitiques, aussi mystérieux et effrayant qu'un palimpseste oublié. Il quitta le porche et traversa la cour sous les trombes d'eau. Arrivé face aux buissons qui coupaient le fantôme de l'antique passage, il s'accroupit et transperça le faible mur de branchages. Celui-ci révéla alors un chemin escarpé s'enfonçant dans une végétation plus dense, un bois imperceptible depuis la maison elle-même.

Sarah remit un pied dans la réalité lorsqu'elle aperçut la voiture de Stan.

Que fait-il ici ?

Qu'a-t-il découvert ?

Elle se courba sous la violence de la pluie, piétina la boue et les souvenirs qui affluaient au fur et à mesure que la maison se dessinait devant elle. Des images troubles, insaisissables. Une statue géante qui l'observait dans la pénombre de sa chambre. Des reproches murmurés, « tout est ta faute, je devrais te tuer, mais je n'y arrive pas... ».

La jeune femme pénétra à l'intérieur de la maison et appela son coéquipier. La porte avait été ouverte, les pièces fouillées. Stan n'avait rien trouvé et seule la présence des chiens errants apportait un semblant de vie à l'endroit.

Où es-tu, Stan ? J'aurais tant aimé tout t'expliquer, te raconter ma part d'ombre... As-tu compris toi aussi ? Mon frère. Celui dont je n'avais aucun souvenir, dont seule la voix avait traversé les années...

Sarah sortit sous le porche, exactement comme deux jours auparavant. Elle se tint debout, dos à la maison, et posa ses mains tremblantes sur la balustrade. Son regard se perdit un instant dans l'éventualité d'un malentendu, d'une situation parallèle où elle n'aurait aucun frère ni passé douloureux, où les enfants disparus joueraient avec leurs parents dans des chambres colorées, où Stan viendrait plus souvent dans son appartement sans que cet imbécile de chat se cache. Mais lorsqu'elle leva les yeux vers le renfoncement végétal et qu'elle vit un berger allemand crasseux s'y engouffrer, elle comprit qu'elle devait à nouveau se plonger dans le chemin terreux et chaotique d'une ancienne légende.

Le sillage boueux continua pendant de longs mètres. Stan dut à plusieurs reprises débarrasser sa progression de branchages abandonnés qui obstruaient son avancée. Il eut parfois l'impression de tourner en rond, de revenir sur ses pas, mais au loin le toit de la maison disparaissait lentement et confirmait ainsi sa position. Ses chaussures s'enfonçaient dans la terre détrempée. Il consultait régulièrement son portable pour voir si le réseau passait et s'arrêta même pour tenter de joindre Sarah, mais la messagerie se déclencha dès la première sonnerie.

Sarah.

Pourquoi ne réponds-tu pas ?

Pourquoi ai-je le sentiment de ne plus pouvoir faire marche arrière, d'être sur le point de découvrir les fondements de tes souffrances sans pour autant en être soulagé ?

Stan se figea lorsqu'il atteignit le bout du chemin. Une cabane en bois se dressait au centre d'un renfoncement dont le sol avait été débarrassé de sa végétation. Elle ne mesurait pas plus de deux mètres de hauteur. La pluie ruisselait le long de son toit et de ses planches pour nourrir la boue qui gisait tout autour. Il s'avança prudemment, un pas après l'autre. Il n'y avait pas de bruit, si ce n'était le clapotement des gouttes s'écrasant contre les feuilles des arbres. Un cadenas rouillé étranglait deux rivets enfoncés dans la porte et le chambranle. Il s'approcha un peu plus, lançant des regards autour, puis appuya son oreille contre la cloison. Sa peau entière se glaça lorsqu'il perçut de faibles bruits de mouvements. Des respirations lourdes et fatiguées. Immédiatement, il recula d'un bon mètre et leva son arme. Il se positionna de biais, de manière que la balle ne perfore pas le bois fragilisé par la pluie, puis fit exploser le cadenas. L'écho hurla en s'enfuyant. Effrayé par ce qu'il allait trouver, Stan tira lentement la porte libérée de son entrave et avança dans l'encadrement. Une odeur d'excréments et de renfermé lui gifla les narines. Il tint son arme devant lui, ignora ses tremblements et passa la tête à l'intérieur pour y découvrir les corps recroquevillés des enfants disparus. Aussitôt il se saisit de son mobile et précisa sa position au central. « Priorité absolue, besoin d'ambulances et de renforts… » souffla-t-il silencieusement comme pour ne pas effrayer les petites silhouettes. Puis il rangea son téléphone et se tint debout dans l'encadrure de la cabane, cherchant du regard toute présence suspecte.

Sarah.

Quel est cet endroit ?

Il y a de vieux dessins contre les planches. Je les vois alors que je me tiens là, n'osant pénétrer à l'intérieur, n'osant toucher ces corps que j'espère vivants.

Tu es là, Sarah. Sur ces dessins. Il y a ton prénom et celui de Simon apposés dessus. Les deux personnages représentés maladroitement se tiennent par la main.

Au loin derrière eux il y a un géant sombre qui semble vouloir les attraper.

Sarah.

Je ne sais plus quand sont les prochaines vacances scolaires.

Je ressens une impression étrange.

Comme si j'avais été piqué par une abeille juste en bas de ma colonne. Puis il y a une deuxième piqûre, plus haute, plus appuyée. Mon corps a un soubresaut et un goût métallique emplit ma bouche.

Je peine à respirer et mon arme devient lourde.

Je vais me retourner, Sarah. Je veux voir qui se trouve derrière moi. Mais je n'ai pas le temps.

Une autre piqûre.

Plus douloureuse. Plus épaisse.

Une autre.

La lame rentre facilement.

J'ai le souffle coupé. J'essaie de happer l'air comme le ferait un poisson hors de l'eau. Mon arme tombe sur le sol et je vois qu'une silhouette remue en face de moi, dans un coin de la cabane. C'est une fille. Le corps d'un garçon plus petit est allongé contre elle. Elle le protège et cette vision m'arrache un sourire malgré la douleur qui inonde mon corps.

Je tombe à genoux, Sarah.

Peux-tu entendre ma voix ? Me réponds-tu ?

Les enfants sont là, Sarah. On a réussi.

Te rendront-ils ton sourire ? Feront-ils taire la voix qui te hante ? Soigneront-ils les plaies sur ton poignet ?

Sarah.

On me présente le couteau ensanglanté devant les

284

yeux. J'essaie de les garder ouverts mais, le temps d'apercevoir un chien qui lape le sang le long de mon flanc, je chute, inconscient, contre le sol boueux.

Et j'ignore toujours quand sont les prochaines vacances de Peter.

40

Mardi 19 mars 2013

Sarah se mit à courir lorsqu'elle entendit la détonation. Instinctivement, elle se saisit de son téléphone. Éteint. *Merde. Je n'ai pas pensé à le réactiver en quittant le central.*

Elle s'immobilisa un court instant afin d'écouter le dernier message de Stan. Il l'appelait depuis l'hôpital. Il disait avoir découvert l'identité du tueur. Il lui expliquait sa naissance et le décès de sa mère. *C'est à cause de cela qu'il tue les enfants.* Il parlait d'une voix douce. Une voix protectrice. Il termina en lui demandant de l'attendre, de ne pas agir précipitamment, qu'il se rendait tout de suite chez Simon Duggan pour retrouver les enfants. Le message datait de quarante-cinq minutes.

Depuis, un coup de feu avait retenti.

Sarah reprit sa course avec les paroles de Stan dans la tête. Elle s'avoua qu'elle aimerait que cette voix soit la seule qu'elle entendrait jamais. Elle évita de justesse la chute à de nombreuses reprises. La boue froide s'enfuyait sous ses pas. La terre ne reconnaissait plus sa démarche de petite fille. Les branchages dressés pour protéger le passé lui giflaient le visage. La pluie elle-même appelait la jeune enfant et repoussait l'adulte dont les traits arboraient un masque pourtant aussi effrayé que lorsque, guidée par la main de son frère, Sarah fuyait les hurlements de souffrance provenant de la maison derrière elle.

Elle sortit son Glock et ôta la sécurité. Ce chemin. C'était comme regarder le monde à travers les yeux du passé. L'odeur, l'étroitesse protectrice, le dôme de branches au-dessus. Elle eut envie de tendre la main comme avant et de fermer les paupières.

Juste un instant.

Simplement pour revivre son innocence à elle, dans cette ville qui n'en possédait déjà plus.

Sentir la peau de son frère.

Croire en ses paroles.

Il ne nous trouvera jamais là-bas. Je serai toujours là pour te protéger.

Entendre sa voix sans qu'elle soit celle d'un fantôme. Ou de sa propre folie.

Fermer les yeux.

Accueillir ces précieux souvenirs dont elle ignorait l'existence et qui à ce moment précis se jetaient dans ses bras.

Simon.

Tu ne les tues pas.

Les enfants qu'on ne revoyait jamais.

La légende ne précise pas la mort. Elle précise la disparition.

Tu caches les enfants. Tu les protèges. Je comprends à présent. Tu agis exactement de la même manière que dans notre enfance, quand tu me mettais à l'abri au milieu des herbes hautes.

Ton Géant de brume n'est pas un monstre. Il enlève les enfants pour les sauver.

Sarah serra la mâchoire.

Concentre-toi.

Les enfants.

La priorité.

Elle atteignit la cabane bien plus rapidement que dans ses vagues souvenirs. La construction en planches épaisses se tenait toujours là. La terre visqueuse et luisante lançait des avertissements. La pluie la cingla un peu plus et un vent violent se mit en colère, il tournoya comme pour l'arracher à la réalité.

Sarah avait le souffle coupé. Des larmes d'enfant et d'adulte coulaient de ses yeux.

Cachons-nous ici, il ne connaît pas l'existence de cette cabane. Donne-moi la main.

La jeune femme eut un mouvement de recul. Cette cabane perdue dans les herbes hautes lui semblait symboliser non seulement ses malheurs, mais aussi ceux des autres.

Son enfance ratée.

Le départ de Stéphane.

Son infécondité.

Les corps retrouvés des enfants.

Et ceux disparus.

Ces maisons abandonnées et leurs regards tristes.

Ces habitants naufragés d'une existence sans souci

et qui maintenant erraient dans les rues de Détroit dénuées de repères et de vie.

Cette cahute avait peut-être représenté le refuge idéal autrefois. Mais à présent, dépourvue de la présence de son frère et noyée dans la mélasse d'un orage agressif, elle semblait aussi menaçante qu'une sorcière échappée d'un cauchemar.

Sarah s'avança prudemment, l'arme tenue solidement au bout de ses bras tendus. La pluie diluvienne limitait son champ de vision. Elle avait beau plisser les yeux, le monde autour n'était que formes instables et contours abstraits. Elle obliqua de quelques mètres, et ce n'est qu'arrivée à une très faible distance qu'elle l'aperçut. Il était étendu à terre, le visage contre la boue. Le dos de sa veste était auréolé de taches rouges et la terre sous son corps devenait plus foncée. Elle courut vers lui et s'agenouilla à sa hauteur.

— Non, Stan, pas toi, bordel !

Elle chercha son pouls. Pas de pulsation. Immédiatement, elle composa le numéro de son chef. Appeler le 911 aurait été stupide. Le temps de réponse dans cette ville plus morte que vivante était interminable. Hanz Craig décrocha tout de suite. Il sembla nerveux et lui apprit que Stan avait prévenu le central quelques instants plus tôt. « Un hélicoptère survole le quartier et les secours devraient bientôt être sur place », ajouta-t-il avant de raccrocher. C'est alors que Sarah perçut au loin les sirènes d'ambulance injurier le silence.

— Tiens bon, Stan, ne me lâche pas, j'ai besoin de toi, je t'en prie…

Elle colla son front contre le sien.

Froid.

Elle rejeta l'évidence et le retourna sur le dos. Ses yeux étaient ouverts, immobiles. Ils regardaient au-delà du ciel obscurci. Ils cherchaient sans aucun doute à atteindre une dernière fois un garçon jouant à la console dans une ville lumineuse. Sarah pratiqua les gestes de premiers secours. Elle arracha les boutons de sa chemise et entama un massage cardiaque.

Froid.

Elle posa ses lèvres contre les siennes, mais un sanglot s'échappa subitement de sa bouche. Suivi d'un autre, puis d'un autre. Sarah craqua. Elle hurla à se brûler les cordes vocales. Elle serra entre ses doigts cette terre de malheur dans laquelle son âme entière semblait s'ensevelir.

— Je ne pourrai pas y arriver sans toi... je pourrai plus y arriver..., balbutia-t-elle en tenant entre ses mains le visage de Stan.

Froid.

Elle recommença.

Elle essuya rageusement ses larmes, maquillant ainsi ses pommettes d'une boue colorée de sang. Elle inspira puis expira profondément en fixant le ciel. L'idée de prier un Dieu quelconque ne lui vint même pas à l'esprit.

Elle se pencha à nouveau. Sa bouche épousa celle de son coéquipier et essaya de lui insuffler la vie.

C'est alors qu'elle le sentit.

41

Mardi 19 mars 2013

Hanz Craig fixa Simon Duggan.

Il ne pouvait attendre trop longtemps. Son absence, même si l'effectif du central était réduit, pourrait se faire remarquer. Le chef du douzième district se leva lentement. Il fit le tour de la table et se posta derrière le frère de Sarah.

— Je te comprends en partie, déclara le policier. Nous sommes tous les deux des hommes de promesse. Tu avais promis que tu protégerais Sarah.

— Je… je l'ai toujours fait, affirma Simon, soudainement nerveux en sentant la présence dans son dos.

— Pourquoi as-tu tué Harry ?

La question fut posée le plus simplement possible. Sans colère, sans précipitation. À l'entendre, Simon aurait pu croire à une phrase lue, comme une réplique jouée sans relief ni conviction par un acteur débutant. Mais s'il avait pu, alors que les mots se frayaient un chemin jusque dans ses souvenirs de cette nuit-là, apercevoir le visage de Hanz Craig, il y aurait lu le dégoût et la violence sourde. Les épaules du Géant de brume s'affaissèrent, comme écrasées par un poids invisible. Il ferma les yeux un instant.

Se souvint.

Les anciennes usines automobiles Packard derrière le cimetière luthérien. Les silhouettes désertées de béton et de brique rouge s'élevant dans la nuit.

L'appel anonyme qu'il avait passé alors que la voiture de patrouille de Harry et de son partenaire rôdait dans le secteur.

La mauvaise cocaïne qu'il venait de prendre pour se donner le courage de ne pas lâcher le couteau que sa main droite tenait fébrilement.

Les fantômes psychotropiques qui lui soufflaient que personne ne pouvait le séparer de sa sœur.

— J'avais… j'avais peur, prononça faiblement Simon. Peur d'être éloigné de Sarah au point de ne pouvoir veiller sur elle.

— Ton père va être traqué. Nous avons son identité. Nous savons à quoi il ressemble. C'est une question d'heures, précisa Craig qui semblait ne pas avoir entendu la réponse de Simon, ni même soupçonner les larmes qui coulaient le long de ses joues. Le complice du Géant sera tué en essayant de fuir. Ce sera la consigne que je donnerai à mes équipes. Mais pour le grand public, tu es et resteras le Géant de brume, l'avertit-il. Tu es celui qui a assassiné les enfants.

— Vous savez que c'est faux, se défendit-il, reniflant bruyamment.

— Non, corrigea Craig, je sais que cela est possible. Je sais que cette version réconfortera les parents et apaisera la presse. Je sais également qu'ainsi Sarah sera débarrassée de son passé et des voix qui la tourmentent. Je lui raconterai tes aveux, tout comme je lui expliquerai comment tu as tendu un piège à son père adoptif. Tu vas devenir un monstre à ses yeux. Et plus jamais elle ne souhaitera entendre ta voix.

— Je... je le connais... il disparaîtra... pour... pour quelque temps. Vous ne l'aurez pas, balbutia Simon en tirant sur les menottes qui lui enchaînaient les poignets à la table.

— Il ne s'approchera plus de sa fille. J'y veillerai personnellement. Ce sera ma seconde promesse.

— Votre seconde promesse ?

Duggan perçut un léger mouvement dans son dos. Il sursauta lorsque le policier s'approcha de son oreille pour lui murmurer :

— Oui. La première, je l'ai faite à Harry. Tu as inventé cette histoire de viol pour nous faire venir dans ces ruines. Tu as attendu que l'on se sépare pour couvrir le périmètre et ensuite tu l'as frappé. Alors, tandis que je pressais fortement les mains contre sa gorge ouverte, je lui ai promis de retrouver celui qui venait de lui trancher la carotide. Sais-tu quelles ont été ses dernières paroles ?

— Je... je ne sais pas... j'avais peur et...

— « Un putain de géant », a-t-il dit avant de mourir.

Craig ouvrit le cran d'arrêt qu'il venait de sortir de sa poche, une arme qu'il avait pris soin de retirer des archives et qui correspondait à un cas classé et oublié depuis des années. Il visa Duggan et frappa fort. Il s'écarta juste à temps pour ne pas recevoir de sang sur lui. Simon eut un sursaut. Il essaya d'atteindre sa gorge, mais ses mains restaient solidement emprisonnées par ses liens d'acier. Il poussa un râle en s'agitant sur sa chaise alors qu'un jet tiède s'échappait de sa gorge. Son agonie dura quelques minutes. Les bulles d'air teintées de sang qui s'enfuyaient de sa plaie béante perdirent de leur régularité jusqu'à disparaître totalement. Puis sa tête s'affaissa contre sa poitrine. Calmement, Hanz Craig se pencha vers sa victime pendant qu'elle agonisait.

— C'est pour l'homme qui a élevé Sarah. C'est pour les voix que tu lui mettais dans la tête et qui la faisaient souffrir. C'est aussi pour faire disparaître le passé et la laisser grandir. C'est pour les enfants que tu n'as pas protégés il y a dix ans, pour l'honneur de Stan que tu as souillé en cachant la folie de ton père. C'est pour la paix des parents qui verront demain dans les journaux que le Géant de brume s'est suicidé avec un couteau caché dans sa chaussure.

Il essuya avec soin le manche du cran d'arrêt et déposa les empreintes de Simon dessus. Son téléphone se mit à sonner. Il décrocha. Le standard. Stan venait d'appeler. Il avait retrouvé les enfants.

Ensuite Hanz Craig sortit et referma la porte de la pièce, comme on cloisonne la réalité en baissant les paupières.

Sarah le sentit.

Le contact était froid et métallique.

Elle chercha du regard l'arme de son coéquipier, mais ne la vit nulle part sur le sol. Elle figea son corps dans un retranchement de peur. Sans se retourner, elle reconnut immédiatement la menace. Celle-là même qui passait en silence devant sa chambre d'enfant. Celle-là même qui lui racontait la légende du Géant de brume chaque soir. Comme un avertissement. Comme la prémonition des malheurs à venir, quand Détroit serait en ruine, quand Sarah serait assez grande pour ne pas oublier. Cette menace qui était restée tapie dans les herbes hautes pour mieux la surprendre.

Elle releva le visage pour fixer la cabane devant elle. Ce qu'elle vit la fit sourire : la porte ouverte laissait deviner les silhouettes des enfants à l'intérieur. Il y avait des dessins également. Qu'elle reconnut malgré la distance. Sarah savait qu'elle allait mourir. Elle avait lâché son arme pour venir en aide à Stan. En aucun cas, elle n'aurait le temps de l'atteindre. Son crâne exploserait bien avant qu'elle ne la touche.

Mais elle prit le risque.

Elle osa un mouvement.

Elle approcha sa main de celle de Stan. Elle la déplia pour pouvoir y loger la sienne. Puis elle la serra. Doucement.

Le canon resta appuyé contre l'arrière de sa tête. Elle se fichait que le chien se déclenche et que la balle parte. Les sirènes des secours affluaient. Les lumières des gyrophares ondoyaient dans l'obscurité orageuse. Dans quelques secondes, ils seraient là. Trop tard pour elle sans doute, mais assez tôt pour que son père ne puisse s'attaquer aux enfants.

— Je n'étais qu'un bébé, murmura-t-elle comme si cette phrase n'était destinée qu'à elle et non pas à la silhouette dressée dans son dos.

Alors elle se pencha un peu plus. Elle attrapa délicatement la tête de Stan et la posa sur ses genoux. Elle caressa ses cheveux. Ses larmes s'échouaient sur le front glacé.

— Je n'étais qu'un bébé et je te demande pardon, à toi et à elle. Alors, tire maintenant. Tire, et que se taisent ainsi ces voix qui me fatiguent tant.

42

L'enterrement eut lieu deux jours après.

La cérémonie se déroula sous la pluie et, malgré cela, la foule fut dense au Woodlawn Cemetery. Les collègues de Stan, venus de nombreux districts, ses amis et sa famille défièrent les nuages de Détroit sans hésitation, tout comme Stan avait défié la brume d'une légende insondable.

Autour d'eux se dressaient les silhouettes hautes et abîmées des immeubles de Détroit. La ville se confondait presque avec le cimetière. Elle aussi arborait ses stèles de pierre et d'acier. Debout sur sa pelouse fatiguée, les vivants se recueillaient également face à la mort de leurs idéaux. Les habitants qui espéraient que tout s'arrangerait, que Détroit renaîtrait de ses cendres, se lasseraient de tant d'attente. L'espoir deviendrait une braise agonisante. Sa lumière s'estomperait au fur et à mesure que les Détroitiens quitteraient sans plus aucun regret cette cité qui n'offrait plus rien, si ce n'étaient les ruines d'une civilisation jadis prospère.

Plusieurs familles des victimes déposèrent une fleur sur la tombe de celui qui n'avait jamais abandonné l'idée de retrouver un jour le Géant de brume.

Sarah s'y rendit dans un état second. À la fois présente pour lui rendre hommage, mais également absente, repoussant au loin la cruelle réalité que symbolisait le cercueil glissant dans la terre béante. Hanz Craig se tint à ses côtés. Il l'abrita sous un large parapluie sombre, la protégeant autant des gouttes opiniâtres que des flashs des journalistes.

La jeune femme jetait des regards embués de tristesse et de désolation en direction de Peter. Le fils de Stan ne quittait pas le bras de sa mère et semblait, tout comme elle, ne pas comprendre comment ils avaient pu en arriver là.

Elle se promit de lui expliquer un jour.

De lui raconter la légende qu'était devenu son père en pourchassant sans relâche le Géant de brume.

Épilogue

RÉUNION DE LA CIPD
(Commission interne de la police de Détroit)
Présents :
Capitaine Hanz Craig
Représentant du bureau des affaires internes Daniel
Phillips
Représentant du syndicat de police Salie Jefferson
Psychologue Mélanie B. Jouvers
Personnel convoqué :
Inspecteur Sarah Berkhamp

— Pourquoi avez-vous caché votre lien de parenté avec le coupable ?

Sarah devina l'approche sourde et lourde de la migraine à venir. Elle ferma les yeux un instant, mais ne rencontra que le silence. Elle serra une main invisible. Ce geste lui avait sans aucun doute sauvé la vie. Le Géant de brume l'avait reconnu. Sans doute l'avait-il effectué des années plus tôt, dans une pièce de l'hôpital de Détroit, tandis que le son continu et définitif de l'électro-encéphalogramme s'évanouissait sous les cris d'une nouveau-née. Il avait compris que sa fille s'accrochait à la seule personne qui comptait réellement pour elle, que le corps allongé sur le sol détrempé représentait pour elle bien plus qu'elle n'avait osé laisser paraître. Alors il avait desserré l'étreinte de sa vengeance. « Ne te retourne pas » furent ses seules paroles.

Puis il s'était évaporé.

Et ensuite Sarah avait vu les enfants sortir de la cabane et s'approcher d'elle. Silencieux. Elle avait senti leurs petites mains contre son visage, respiré l'odeur de leurs cheveux et essayé de les enlacer tous. « Ne craignez rien, je suis là pour vous protéger maintenant », les avait-elle réconfortés alors que ses larmes redoublaient.

Puis elle avait plongé dans l'inconscience alors que les secours piétinaient à leur tour le chemin boueux de son enfance.

— Je l'ai compris trop tard.

— Votre frère s'est suicidé dans la salle d'interrogatoire. Pourquoi aviez-vous coupé la caméra ?

— Je pensais qu'il serait plus enclin à parler s'il ne se sentait pas épié, si nous nous trouvions entre nous.

— Par chance, vous avez retrouvé les enfants. Nous avons évité une catastrophe. Mais vous avez tout de même enfreint le règlement, offrant ainsi à Simon Duggan la possibilité de « partir » sans payer pour ses crimes. Pensez-vous qu'il avait un complice ?

— Non, je ne crois pas. Il agissait seul.

La légende est terminée. Elle s'est vengée d'un

amour perdu par un amour perdu. Il n'y a plus à raconter cette histoire aux enfants, maintenant. Les voix sont devenues silencieuses. Le Géant de brume a lui aussi quitté Détroit et l'ineptie de ses rues. Il a laissé derrière lui le malheur que la brume enveloppait tendrement.

— Au vu des éléments fournis, il semble que quelques semaines de repos seraient les bienvenues. Je vous félicite d'avoir retrouvé les enfants, même si des points restent à éclaircir.

Daniel Phillips demeura un long moment sans rien dire. Hanz Craig observa Sarah. Il aurait aimé la réconforter, la prendre dans ses bras comme il l'avait fait lors de l'enterrement de son père, Harry Berkhamp. Rien ne serait plus comme avant pour elle, il le savait.

— Et je me permets, au nom de toutes les personnes ici présentes, de vous dire que je suis sincèrement désolé pour votre coéquipier Stan Mitchell. C'était un bon policier dont la carrière fut injustement critiquée. Puisse-il reposer en paix.

REMERCIĖMENTS

Le premier de mes remerciements ira tout naturellement à Caroline Lépée, mon éditrice, celle qui m'a osé, conseillé et éclairé jusqu'à ce que l'impossible devienne possible.

J'en profite pour remercier Chloé et l'équipe de Calmann-Lévy. Votre travail est invisible, injustement insoupçonné, sauf pour l'écrivain qui mesure alors toute la valeur de vos remarques. Un grand merci !

Ensuite, mille mercis à mes bêta lecteurs, ceux qui ont découvert en premier, parfois étonnés, parfois rassurés, parfois révoltés, les personnages de cette histoire.

Merci à vous, Marion, Claudia, Virginie, Anne Aïck, Sébastien, Sophie, Martine, Valérie…

Merci à ma mère, Martine, qui m'a autorisé dès mon plus jeune âge à me perdre durant des heures dans les livres qu'un ami, travaillant aux imprimeries Bussière de Saint-Amand-Montrond, nous apportait alors qu'ils n'étaient pas encore sortis sur le marché. Quel luxe, quel privilège de pouvoir lire des Stephen King avant tout le monde, surtout pour un gosse d'une douzaine d'années !

Un merci spécial à Sophie pour m'avoir offert ce qu'il y a de plus précieux.

Et enfin, merci à toi, Loan. La plus belle histoire est celle que l'on écrit chaque jour ensemble, avec nos sourires, nos grimaces et nos erreurs.

Le Douzième Chapitre

CALMANN-LÉVY

Février 1986

Paul Vermont écoutait avec attention les calculs opérés par son comptable.

Même s'il se doutait du contenu des résultats, jamais il n'aurait pensé que tout se serait accéléré de la sorte. En cinq mois à peine, son usine avait perdu plus de trente pour cent de sa clientèle. Ce que lui apprit son vis-à-vis ne le rassura nullement. La crise de la métallurgie frappait la région de plein fouet. Personne n'avait vu venir l'offre provenant des pays de l'Est. Le cahier des commandes s'essoufflait et la mise en vente discrète de l'usine n'avait pour l'instant attiré aucun repreneur.

— Combien de temps ? demanda le directeur, le visage blême.

— Six mois, peut-être huit. Les difficultés se sont multipliées, les banques ne nous suivront pas plus longtemps. Paul se leva de sa chaise, silencieux, et s'approcha de la cheminée où crépitait un feu soutenu. Âgé de trente-six ans, à ce moment il en parut vingt de plus. Il avait hérité de l'entreprise à la mort de son père, dix ans auparavant. À l'époque, l'usine fonctionnait encore à plein régime, et sur son lit de mort le paternel pensait offrir un avenir florissant à son fils et aux salariés qu'il connaissait presque tous par leur prénom. S'il avait su...

Six mois. La sentence lui parut injuste. Il avait tant mis dans cette usine. Depuis le début de la crise, il s'était toujours arrangé pour maintenir le navire à flot et avait beaucoup sacrifié. L'argent, le temps, sa famille. Des nuits blanches à repousser l'inéluctabilité, à espérer des contrats... Et maintenant la cruauté des chiffres.

Six mois.

— Il n'y a aucune autre possibilité ?

— Je suis désolé, mais le dépôt de bilan semble la meilleure solution. Il faudra l'expliquer au personnel le plus tôt possible, que chacun puisse prendre ses dispositions.

— Deux cent dix-huit salariés sur le carreau...

— Ce n'est pas de votre faute, la conjoncture...

— Oui, la conjoncture...

Le bureaucrate se leva, rassembla ses documents et les rangea dans son attaché-case. Il ne troubla le silence que pour murmurer un hésitant « à dans quinze jours » qui sonnait plus comme une supplication que comme une réelle question. Il savait Paul Vermont solide, mais après une nouvelle comme celle qui venait de tomber, même le plus combatif des hommes risquait de baisser les bras. Et de faire une connerie.

— Oui, répondit celui-ci en se détournant des flammes. À dans quinze jours.

— Très bien. Ne restez pas enfermé dans ce bureau, Paul, aérez-vous l'esprit. Il n'est jamais bon de rester seul avec ses soucis.

Au moment où il s'apprêtait à passer la porte, le comptable de Vermont Sidérurgie entendit un dernier chiffre :

— Sept mois.

— Je vous demande pardon ?

— Nous fermerons dans sept mois. Ne le dites à personne pour l'instant. Je veux que mes salariés passent un dernier été tranquille dans notre centre de vacances. Eux et leurs familles vivront des jours suffisamment sombres pour ne pas les laisser profiter une dernière fois du soleil. Huit mois, ce qui repousse en septembre.

— Très bien, monsieur.

Paul Vermont resta un instant silencieux. Comme un boxeur groggy par un coup inattendu, il n'était plus en état de penser. Son esprit se trouvait ballotté, incapable de se raccrocher à une potentielle corde. Il ferma les yeux un instant, perdit légèrement l'équilibre et posa sa main contre l'âtre de la cheminée pour se maintenir.

— Un dernier été, souffla-t-il.

Les laisser fouler l'asphalte chaud de l'avenue des Mouettes.

Savoir les enfants rire dans le creux des vagues.

Permettre aux adultes de refaire le monde, une bière à la main, en observant le soleil entamer sa descente au-dessus de l'océan.

Aussitôt, la vision d'une femme pendue à une poutre lui apparut. Un sentiment de solitude l'envahit alors. Un rapide regard lancé en direction de la photo encadrée sur son bureau. Neuf ans déjà.

Puis Paul se ressaisit. Il chassa l'image de ce corps suspendu pour l'éternité, attrapa ses clefs et sortit. Il descendit l'escalier métallique qui conduisait aux ateliers. Dans son esprit, il visualisait déjà les regards implorants de ses salariés lorsqu'il leur annoncerait la nouvelle. L'incompréhension, la peur, la colère. Perdre son emploi dans une région comme le Limousin condamnait souvent l'ex-travailleur à des années d'errance dans le système. De plus, la majeure partie du personnel était non qualifiée. Retrouver un emploi digne de ce nom serait une tâche très difficile et beaucoup resteraient sur le carreau.

Une fois la porte du premier atelier passée, Paul fut accueilli par les sons familiers de l'usine : grincements des machines, claquements du métal que l'on malmène, crépitements des étincelles de soudure à l'arc, martèlements des outils de façonnage… Il traversa l'immense pièce puis atteignit une coursive. Il croisa plusieurs membres du personnel qui le saluèrent respectueusement. Combien seraient prêts à lui cracher au visage dans quelques mois ? Combien lui réclameraient des explications qu'il serait incapable de fournir ? La conjoncture ? Juste un bouclier derrière lequel se réfugier. Pas un n'y croirait. D'ailleurs, lui-même avait du mal à se contenter de cette excuse passe-partout. Vermont Sidérurgie était une entreprise familiale. Tous les arbres généalogiques de la région y avaient semé leurs fruits. Toutes les familles avaient un ou plusieurs de leurs membres inscrits sur le tableau du personnel. Toutes les rues observaient au petit matin un de ses habitants quitter son foyer, affublé d'un badge d'entrée et d'une combinaison grise.

Un furtif rayon de soleil transperça les vitres de l'usine et caressa les poutres en acier, le sol poussiéreux tacheté d'huile et le souvenir des premières années florissantes. Paul laissa la chaleur embrasser son visage et ferma les yeux. Les prochains mois seraient douloureux. Même s'il avait essayé de vendre l'entreprise sans passer par les voies officielles – et éviter ainsi que le personnel n'apprenne la triste réalité –, il savait que peu de temps restait avant que la faillite ne soit le sujet des conversations de comptoir.

— Bonjour m'sieur Vermont, tout va bien ?

Lorsqu'il rouvrit les yeux, Paul se retrouva face à l'un de ses employés, Franck, que les autres surnommaient « le Rouquin ». C'était un homme trapu, dont le visage acéré et le regard pénétrant marquaient quiconque le croisait. Mais ce qui s'imprégnait le plus dans la mémoire de ceux qui le rencontraient pour la première fois restait cette longue cicatrice qui lui barrait la joue droite.

— Oui Franck, merci, tout va bien. J'avais juste besoin de respirer un peu.

Le patron regarda son employé s'éloigner. Le Rouquin était arrivé dans l'usine deux ans avant que Paul ne prenne la relève de son père. Lors de leur premier échange, un lien immédiat s'était noué entre eux. Une amitié feutrée et respectueuse qu'aucun des deux hommes n'aurait pu expliquer.

Souvent, en fin de journée, tandis que la mécanique de l'usine devenait silencieuse et que les derniers râles métalliques murmurés par le refroidissement des machines s'étiraient en écho le long de son squelette, les deux hommes se retrouvaient dans le bureau du patron pour partager un verre.

Ils discutaient travail tout d'abord, puis les conversations déviaient vers des sujets plus personnels, presque des confidences.

Dans cette intimité, il arrivait parfois que le patron prononce le prénom d'Éléonore. Le peu de fois où il le fit, Franck lui soufflait ce conseil qu'il se répétait à lui-même chaque matin en se levant et chaque soir en se couchant pour lutter contre sa propre mélancolie : « Il n'est jamais bon de ramener les fantômes à la vie, monsieur Vermont. »

Non, ce n'est jamais bon.
Pourtant, c'est ce qui se produisit.
Un certain été 1986.
Le dernier de l'usine.
Le dernier de mon enfance.

Le Livre de Poche s'engage pour
l'environnement en réduisant
l'empreinte carbone de ses livres.
Celle de cet exemplaire est de :
300 g éq. CO₂
Rendez-vous sur
www.livredepoche-durable.fr

PAPIER À BASE DE
FIBRES CERTIFIÉES

Composition réalisée par NORD COMPO

Imprimé en France par CPI
en septembre 2018
N° d'impression : 3030596
Dépôt légal 1ʳᵉ publication : octobre 2018
LIBRAIRIE GÉNÉRALE FRANÇAISE
21, rue du Montparnasse - 75298 Paris Cedex 06

68/0627/8